ROMÉO ET JULIETTE
ROMEO AND JULIET

Du même auteur
dans la même collection

LES DEUX GENTILSHOMMES DE VÉRONE — LA MÉGÈRE APPRIVOISÉE — PEINES D'AMOUR PERDUES.

LE MARCHAND DE VENISE — BEAUCOUP DE BRUIT POUR RIEN — COMME IL VOUS PLAIRA.

OTHELLO — LE ROI LEAR — MACBETH.

RICHARD III — ROMÉO ET JULIETTE — HAMLET.

LE SONGE D'UNE NUIT D'ÉTÉ — LES JOYEUSES COMMÈRES DE WINDSOR — LE SOIR DES ROIS.

TITUS ANDRONICUS — JULES CÉSAR — ANTOINE ET CLÉOPÂTRE — CORIOLAN.

Bilingues

ANTOINE ET CLÉOPÂTRE (traduction de Henri Thomas).

BEAUCOUP DE BRUIT POUR RIEN (traduction de Marcelle Sibon).

HAMLET (traduction de François Maguin).

HENRY V (traduction de Sylvère Monod).

MACBETH (traduction de Pierre Jean Jouve et Georges Pitoëff).

LE MARCHAND DE VENISE (traduction de Jean Grosjean).

LA MÉGÈRE APPRIVOISÉE (traduction de Marcelle Sibon).

LA NUIT DES ROIS (traduction de Pierre Leyris).

LE ROI LEAR (traduction de Armand Robin).

ROMÉO ET JULIETTE (traduction de Pierre Jean Jouve).

LE SONGE D'UNE NUIT D'ÉTÉ (traduction de Jules et Jean-Louis Supervielle).

LA TEMPÊTE (traduction de Pierre Leyris).

SHAKESPEARE

ROMÉO ET JULIETTE
ROMEO AND JULIET

Texte original et traduction de
Pierre Jean Jouve et Georges Pitoëff

Préface par
Harley Granville - Barker

Notice par
F. N. Lees

GF Flammarion

PRÉFACE

ROMÉO ET JULIETTE est une tragédie lyrique : c'est là la clé de son interprétation. Elle fut sans doute le premier succès indiscuté de Shakespeare et elle fournit la preuve qu'il apportait au théâtre quelque chose que ses rivaux ne possédaient pas.

Quoique gâtée par quelques maladresses, la technique en est simple et efficace, et la maîtrise des ressources du théâtre s'y affirme déjà. L'œuvre manque encore de maturité, certes, mais elle n'est pas d'un débutant ; l'écriture montre un Shakespeare habile à utiliser des procédés que bientôt il rejettera ou adaptera à des fins nouvelles. Quoi qu'il en soit de ces imperfections, elles ne pèsent pas lourd en regard de la passion et de la beauté poignantes de l'ensemble.

Dans la conduite de l'action, le mérite principal de Shakespeare est d'avoir doublé la valeur dramatique du poème de Brooke en changeant les mois en jours. Un Hamlet peut attendre sa vengeance ; mais il sied à cet amour et à sa tragédie que quatre jours le voient naître, se consommer et mourir. Toutefois le temps auquel Shakespeare donne une existence dramatique compte double.

CAPULET.
mais au fait quel jour est-ce aujourd'hui ?
PARIS.
Lundi, Monseigneur.
CAPULET.
Lundi ! Ha, ha ! Eh bien, mercredi c'est trop tôt. Disons jeudi. Annoncez-lui qu'elle sera mariée jeudi au noble comte.

Ce sentiment du mariage qui menace dans trois jours est dramatiquement très important. Plus tard, pour intensifier l'effet, Shakespeare abrège encore le délai d'un jour ; mais en même temps il laisse tomber des phrases anachroniques :

Je l'irrite quelquefois en lui disant que Paris est l'homme qui convient le mieux.

(dit la Nourrice à Roméo, alors que ni Paris ni Roméo ne sont sur les rangs depuis vingt-quatre heures).

JULIETTE.
Vieille malédiction! Ah le méchant démon!
Où est le plus grand péché : me vouloir ainsi parjure
Ou calomnier mon seigneur avec cette langue
Qui l'a loué par-dessus tout au monde
Tant de milliers de fois!

(alors que, même en tenant compte de l'exagération de Juliette, la nourrice ne peut louer ou blâmer que depuis moins de quarante-huit heures). Mais voyez comme cette suggestion des communes lenteurs de la vie quotidienne vient à point pour tempérer la tension tragique. Il y a ici moins de la négligence qu'une sorte d'art instinctif, et la méthode découle naturellement de la liberté dont jouissait le théâtre à l'époque de Shakespeare.

Quoique l'action principale s'organise rapidement, elle ne débute pas par une scène entre les amants tragiques, mais par une rixe entre des représentants des deux maisons rivales. Fait significatif, ce sont les domestiques, non les maîtres, qui allument la querelle; car si Tybalt est un foudre de guerre, Benvolio est pacifique; et si Capulet et Montaigue s'y trouvent entraînés, ce n'est pas sans vergogne. La haine s'étiole, la vendetta est vieille, et même le bilieux Capulet reconnaît qu'il ne devrait pas être difficile pour des hommes de leur âge de rester en paix. Si ce n'est pour les domestiques, qui combattent parce qu'on a toujours combattu, et les Tybalt, qui se battent pour rien plutôt que de ne pas se battre du tout, l'inimitié languit; tout le monde en a assez, et personne plus que Roméo :

O Dieu. Quelle était cette bagarre?
Non ne me le dis pas car j'ai tout entendu.

Nous ne sommes donc pas plongés d'emblée dans une tragédie voulue par le destin, mais — ce qui est plus poignant, quoique moins héroïque — dans un drame de la confusion et de la malchance. En tant qu'homme d'action, le pauvre Frère Laurent est au-dessous de tout; et pourtant il avait de l'imagination : n'était-il pas vraisemblable que les Montaigue et les Capulet, trouvant un matin Roméo et Juliette mariés, sauteraient sur l'occasion pour ne plus avoir à s'entretuer?

PRÉFACE

Ayant formulé son propos, Shakespeare le développe, comme c'est déjà son habitude (il la conservera toujours, car elle est admirablement accordée à la continuité d'action de la scène élizabéthaine), par une succession de contrastes dans les caractères et le style. Ainsi, après le cliquetis des armes et le jugement claironnant du prince, nous voyons Roméo pour la première fois, un Roméo fantasque, tout absorbé dans sa tristesse. Son apparition est annoncée par un long passage musical : et, pour bien marquer l'intention, la musique commence dès que son nom est prononcé. Benvolio termine son compte rendu alerte et ironique de la rixe :

> Pendant que nous échangions bottes et coups
> Il en vint d'autres et d'autres, on se battit parti contre parti
> Et le Prince arriva enfin qui départit les partis.

Quand Dame Montaigue s'interpose :

> Oh ! où est Roméo ?
> Aujourd'hui le vîtes-vous ? Je suis heureuse
> Qu'il n'ait point été dans la bagarre.

Et soudain, les hautbois, les cuivres et les timbales font place à l'andante des cordes lorsque Benvolio répond :

> Madame, une heure avant que le soleil sacré
> Ait percé la fenêtre dorée de l'orient

Montaigue lui fait écho, et c'est annoncé par la douceur caressante de ces vers :

> Mais lui le conseiller de sa propre pensée
> Est à lui-même — avec quelle sincérité je ne puis dire —
> Est à lui-même aussi secret, aussi fermé,
> Aussi loin de la pénétration et la découverte
> Qu'est le bouton mordu par le ver envieux
> Avant qu'il pût étendre en l'air ses feuilles douces
> Et dédier à la lumière sa beauté.
> Si nous pouvions apprendre d'où lui vient son chagrin
> Volontiers nous lui donnerions les soins qui conviennent.

que Roméo paraît, maussade, à peine conscient de leur présence. Puis, aussitôt après le mordant assaut d'esprit qui met aux prises Roméo et Benvolio, se présentent — contraste de

9

caractères et de sujets — Capulet et Paris, le vieux tyran doucereux et l'homme « beau comme le marbre », qui parlent mariage. Eux aussi s'en vont afin que Benvolio puisse parier à Roméo qu'il lui montrera pendant la réception des Capulet des beautés à faire pâlir Rosaline, et c'est la première apparition de Juliette, à qui l'on ordonne d'aimer Paris si elle le peut. La scène de la procession des masques jusqu'à la maison Capulet (Roméo toujours maussade) est indûment étirée par le morceau de bravoure sur la reine Mab, qui a la même justification dramatique — ni plus ni moins — qu'un air dans un opéra. Mais Shakespeare le fait concourir à accélérer le rythme de l'action (comme le bal et la fureur de Tybalt), rehaussant ainsi par avance la tranquille beauté de la première rencontre des deux amants, dont les premiers mots échangés forment un sonnet, procédé charmant.

Imaginons-les : le bal est fini, la petite troupe des invités et des masques se retire en bavardant à mi-voix, et Roméo se trouve seul avec Juliette. Elle voudrait bien rejoindre les autres, mais lui, masque bas, s'avance vers elle comme un pèlerin vers un sanctuaire.

Si je profane avec ma main qui n'est point digne...

Peut-on imaginer plus belle première rencontre ? Allumer leur passion dès le premier coup d'œil eût été banal : les histoires d'amour de deux sous commencent ainsi. Au contraire, il y a quelque chose de sacramentel dans cette cérémonie, quelque chose de timide, de grave et de doux. Le mariage est déjà célébré. Et pourtant, elle est si enfant! Rendue grave par la gravité tremblante de Roméo, elle s'évade enfin dans le rire (sa défense quand le baiser accordé éveille la passion de Roméo) à la fin du dernier quatrain dont elle brise le mètre :

Vous embrassez selon les plus belles manières.

La tragédie à venir gagnera en profondeur par le souvenir de ces débuts innocents. La fin de cette première rencontre est aussi chargée de sens : à peine touchés par l'amour, ils doivent quitter le paradis des amoureux. Roméo apprend qui est Juliette et accepte ce coup du destin. Une heure plus tôt, il faisait profession de mélancolie sous les quolibets de Mercutio et de ses compagnons. A présent, en pleine liesse, il entre courageusement dans une sombre réalité. Puis, comme les invités s'en vont et que le rire s'éteint, Juliette aussi apprend et affronte son destin :

> O mon unique amour né de ma seule haine !
> Inconnu vu trop tôt, et reconnu trop tard !
> Monstrueuse est pour moi la naissance d'amour,
> Que je doive aimer mon ennemi détesté !

L'enfant n'est plus une enfant.
Après le chœur du Second Prologue, Roméo paraît, seul. Tout est prêt pour le duo d'amour, la fameuse scène du balcon. Mais Shakespeare la diffère pour la rehausser, lorsqu'elle viendra, par le plus beau contraste qu'il ait encore ménagé. Par la même occasion, il précise le caractère de Mercutio. Que se passe-t-il quand Mercutio et Benvolio arrivent, poursuivant Roméo ? Celui-ci se cache quelque part sur la scène. Où ? le Premier Folio ne nous le dit pas, mais ce qui est sûr, c'est qu'au temps de Shakespeare, le mur du verger était seulement imaginé par l'auditoire, auquel Benvolio n'avait pas besoin de dire deux fois que Roméo venait de le sauter. Cette absence physique de mur donnait à la scène une unité dramatique que les productions modernes ont perdue. Roméo est là, tout près, presque présent derrière son mur pour rire, et lui qui n'aspire qu'à Juliette, doit subir les tirades paillardes de Mercutio sur Rosaline.
Ce Mercutio, incarnation de la sensualité, domine le plateau de sa présence lubrique, tandis qu'à l'arrière-plan on devine Roméo, qui porte déjà au front la marque de la tragédie. Il s'agit bien de Rosaline ! Que lui réservent l'avenir et cet autre cœur, passionné comme le sien, qui l'attend ? Telle est l'éloquence du tableau, résumé par Roméo après le départ des deux compères :

> Il rit des plaies, celui qui n'a jamais été blessé !

Dissonance qui est une préparation parfaite pour l'harmonie à venir ; à peine avons-nous cessé d'entendre les obscénités de Mercutio que Juliette est à son balcon.
Pendant toute cette scène fameuse, Shakespeare varie et renforce son harmonie au moyen des procédés les plus divers. A la fin, ces vers :

> D'ici je vais à la cellule de mon père spirituel
> Pour demander son secours et lui dire mon bonheur.

introduisent un nouveau meneur de jeu : Frère Laurent. Son importance se manifeste d'emblée par la longueur de sa première tirade : Shakespeare a déjà l'air de penser à la potion de Juliette. Tout va bien, le frère est sentencieux, les amants sont en extase, et Mercutio, Benvolio et la nourrice composent un chœur joyeux. La seule note prémonitoire est frappée comme en passant, avec légèreté :

> Tybalt, le parent du vieux Capulet, lui a envoyé une lettre à la maison de son père.

Enfin la scène du mariage clôt ce « mouvement » : la jeunesse triomphante jette son défi, l'homme d'âge prêche une sage lenteur. C'est une consommation tranquille, le calme avant l'orage. Nous sommes à mi-chemin.
Mais voici que, en opposition immédiate, s'avancent Mercutio et Benvolio, l'épée au flanc, suivis de serviteurs armés, le premier si excité que l'autre le conjure :

> Je t'en prie, bon Mercutio, retirons-nous :
> Il fait chaud, et les Capulets sont dans la ville;
> Si nous les rencontrons nous n'éviterons pas une querelle,
> Par ces chaudes journées bouillonne le sang fou.

Et d'un seul coup nous voici plongés dans la tragédie.
La scène qui suit est la plus dramatique de la pièce. Toute l'action, jusqu'ici, préparait cette rencontre de Roméo et de Tybalt qui en constitue la crise. Tybalt a vu Roméo lorgner, sous le couvert du masque et certainement pas pour le bon motif, sa cousine Juliette. Mais pour Mercutio et Benvolio, Roméo est toujours le nonchalant adorateur de Rosaline et le contempteur de la fameuse querelle, obligé soudain, par l'insulte d'un Capulet, de prouver qu'il est un homme. Ils ne savent pas comme nous qu'il vient de nouer avec Juliette un lien sacré propre à muer l'inimitié des deux maisons en alliance.
Le moment est souligné par un silence éloquent; que répondra Roméo à une insulte aussi poliment exprimée :

> Roméo, l'amour que je te porte ne peut trouver
> Meilleure expression que celle-ci : tu es un lâche.

Benvolio et Mercutio, Tybalt lui-même, ne mettent pas sa réponse en doute, mais pour nous le silence qui intervient (et qui ne fait que les étonner) est un suspens. Nous savons ce qui est en jeu. Pour Roméo, l'instant est chargé de tant d'émotions diverses que l'acteur chargé du rôle peut l'interpréter d'une demi-douzaine de manières, toutes légitimes (c'est à cela qu'on peut jauger une situation dramatique). Des brèves minutes passées avec Juliette sort-il si enchanté dans son bonheur que l'aiguillon de l'insulte ne le touche pas et qu'il contemple indifférent ce Tybalt et sa folie ? Refoule-t-il une colère immédiate en ravalant son orgueil et le mépris de ses amis, comptés l'un et l'autre pour rien au prix de Juliette ? Quoi qu'il en soit, lorsqu'il répond enfin :

> Tybalt, la raison que j'ai de t'aimer
> Excuse la rage d'un pareil salut;
> Je ne suis pas un lâche; donc adieu
> Car je le vois, tu ne me connais pas.

l'énigme n'est claire que pour nous. Notez que c'est toujours le Roméo friand de devinettes qui parle, mais combien changé ! Nous pouvons aussi savourer la perplexité des comparses devant ces vers :

> Ainsi, bon Capulet — et ce nom, il m'est cher
> Tout autant que le mien — sois satisfait.

Mais ils ne devinent rien et Roméo passe.

Sur chacun des personnages la situation fait une impression différente, nouvelle preuve de qualité dramatique. Benvolio reste muet : il est pour la paix, mais pas au prix de pareille lâcheté. Quant à Tybalt, l'attitude pacifique de Roméo le couvre de ridicule; or, ce « brillant maître des cérémonies » prend très mal le ridicule, et saisit au vol la chance que lui donne Mercutio de retrouver sa dignité fanfaronne, tandis que Mercutio, en provoquant Tybalt, ajoute à la situation le piquant de l'inattendu. En effet, que diable vient-il faire dans cette galère de la vendetta des Capulet et des Montaigue ? Si l'on regarde en arrière, on s'aperçoit qu'il brûle depuis longtemps d'administrer une leçon au « raffiné » Tybalt, de lui montrer qu'on ne la lui fait pas *alla stoccata*. Et en deux temps, trois mouvements une catastrophe fortuite vient tout changer, le plus vivant personnage de la pièce est anéanti sur la scène et la charmante rhétorique de la tirade de la reine Mab noyée dans le sang.

Cette mort inattendue, Shakespeare l'utilise pour précipiter un changement capital chez Roméo, et c'est ce changement intérieur — non l'arbitraire des événements — qui détermine le cours tragique que va prendre la pièce. Après cette parenthèse d'action et de paroles violentes, Roméo reste seul sur la scène, et un sentiment plus simple, plus grave, plus austère que ceux que nous lui connaissons commence à s'épancher en vers mesurés :

> Ce gentilhomme, proche parent du Prince,
> Mon véritable ami, reçoit ce coup mortel
> Pour moi; et ma réputation
> Est atteinte par l'injure de Tybalt, de ce Tybalt
> Qui une heure fut mon cousin : douce Juliette,
> Ta beauté m'a donc fait un efféminé,
> Elle amollit en moi l'acier de ma valeur !

Puis il apprend que son ami est mort, accepte son destin :

> Le noir destin de ce jour sur d'autres jours est suspendu,
> Celui-ci commence un malheur que d'autres devront finir.

et stupéfie le sanglant Tybalt revenu jouir de son triomphe. En une centaine de mots, mais avec un génie du mouvement et de l'expression qui transcende tout, Shakespeare a noué l'action de sa pièce et précipité son héros à l'abîme.

Dès lors, l'action se poursuit à un rythme accéléré, nourrie de contrastes, de violences, et veinée, pour le moins, de sauvagerie gratuite. En fin de compte, c'est une tragédie de la malchance, à laquelle Shakespeare est lié par son canevas. Déjà toutefois nous discernons la révolte de son sens dramatique, qui plus tard régira les tragédies de la maturité; les accidents sont excitants, mais la tragédie qu'ils déterminent n'a pas de sens; il s'efforce donc, en fouillant les caractères, de rendre le dénouement vraisemblable. Pure malchance, certes, que Balthazar et non Frère Jean apporte à Roméo exilé la nouvelle de la mort de Juliette; mais c'est la précipitation insensée de Roméo qui empêche Frère Laurent de réparer l'erreur. Stra-

tagème plus subtil encore, c'est le repentir trop bien simulé
de Juliette qui pousse Capulet ravi à avancer le mariage d'un
jour, détail qui suffira à changer la vie en mort. Ces deux
amants sont voués au désastre non seulement par le Prologue, mais par leur caractère. Si Shakespeare ne les affran-
chit pas des contingences de leur situation avec la maîtrise
qu'il déploiera dans les tragédies de la maturité, il n'en
demeure pas moins qu'une fois atteint leur plein développe-
ment dramatique, nous ne pouvons plus envisager pour eux
de fin heureuse.

ROMÉO ET JULIETTE est une tragédie dédiée à la jeunesse; l'âge et l'expérience n'y jouent pas le beau rôle. Frère
Laurent est compatissant, mais d'une charité lourde et
pédante : c'est l'image même de la vieillesse vue par la jeunesse, l'image de la sagesse qui ne sert à rien. Sans lui
accorder plus de vie que n'en avait son modèle dans le poème
de Brooke, Shakespeare lui donne une étrange réalité, confesseur fantôme dans la pénombre de sa cellule, égal refuge pour
Roméo, Paris et Juliette, et qui n'existe que pour eux.

La ligne qui sépare la jeunesse de la vieillesse est arbitraire,
quoique parfois incertaine. Capulet et Montaigue sont des
vieillards de convention, malgré l'âge de leurs enfants qui
leur permettrait d'avoir moins de quarante ans. Capulet nous
dit que la mort lui a enlevé toutes ses espérances hormis
Juliette, ce qui évoque une kyrielle de fils tués dans la vendetta, ou encore une triste série d'effigies enfantines sculptées
sur son futur tombeau, à la manière élizabéthaine. Quant à
Dame Capulet, elle n'a en somme pas d'âge, puisque après
nous avoir appris qu'elle avait quatorze ans à la naissance
de Juliette (quatorze ans plus tôt), elle nous dit à la fin que

O mon âme! Cette vision de mort est comme un glas
Qui appelle mon vieil âge à son tombeau.

Même anomalie pour la nourrice, qui doit être vieille,
mais qui allaitait son propre enfant en même temps que
Juliette.

Cette Nourrice, quel que soit son âge, est une complète réussite. Elle vit merveilleusement dès ses premières paroles :

Mais par mon pucelage quand j'avais douze ans! je lui ai dit de venir.

Il est évident que Shakespeare en était gros depuis longtemps et qu'il n'a eu qu'à accoucher d'elle. Il ne fera plus rien d'aussi complet avant Falstaff. Il la connaît si bien qu'il lui accorde d'emblée une longue digression, sans se soucier de l'action. Ce n'est pas un morceau préparé comme celui de Mercutio sur la reine Mab. Elle coule de source, les expressions sont de la nourrice et d'elle seule, son caractère parle à chaque mot. Ceci s'applique d'ailleurs à tout ce qu'elle dit dans la pièce. Dans son langage, nulle trace de ce style conventionnel auquel Shakespeare est encore lié, dans lequel il emprisonne parfois les autres personnages — aucune trace, si ce n'est lorsqu'elle le parodie, et alors il ne nous est pas interdit d'y voir l'annonce mi-facétieuse de la liberté future du poète. Aucune comédienne ne peut échouer dans ce rôle pour peu qu'elle sache parler, mais c'est un rôle si plein de vie qu'il n'exclut pas, d'autre part, une interprétation plus fouillée. En tout la nourrice est d'une réalité contraignante, depuis son

> Mon éventail, Peter,

quand elle prétend jouer la dame discrète et bien élevée auprès des fils de famille, jusqu'à l'inattendu

> Ma foi je dis ceci : Roméo
> Est banni; et je parie le monde entier pour rien
> Que jamais il n'osera venir vous réclamer;
> Ou s'il le fait, il faudra que ce soit à la dérobée!

paroles atroces pour Juliette, mais qui, une fois dites, nous paraissent naturelles dans la bouche de sa nourrice.

C'est cette dernière trouvaille qui parfait le caractère. Jusqu'alors nous la prenions pour la bonne et tendre nourrice, nous étions amusés par ses drôleries, mais nous ne pensions guère à elle-même. Voici qu'à présent tous ses traits s'arrondissent en un personnage, oui, ses plaisanteries, ses familiarités, sa vulgarité, et, pour finir, cette candeur lubrique :

> Il vaut mieux, que je crois, vous marier au comte.
> Oh c'est un bien joli monsieur; et Roméo
> N'est qu'une lavette auprès de lui; Madame, un aigle
> N'a pas l'œil aussi vert, aussi vif, aussi beau
> Que l'a Paris. Et maudit soit mon cœur,
> Je crois que vous serez heureuse en ce deuxième engagement
> Car il surpasse le premier! Et en serait-il autrement
> Votre premier est mort...

Imaginez l'effet des deux derniers vers sur Juliette, plongée
dans le sacrement d'amour et l'amertume de la séparation.
Et la vieille catin est absolument inconsciente d'avoir dit
quelque chose d'extraordinaire. A son agneau, à sa coccinelle
qui revient de confesse le regard joyeux, trop joyeux, elle
est persuadée d'avoir donné le meilleur conseil du monde!
Nous la voyons affairée aux préparatifs du nouveau mariage.
Nous l'entendons — chose incroyable — réveiller Juliette
avec les mêmes obscénités dont elle la faisait rougir à l'approche de Roméo. Nous la quittons inondant de larmes grotesques le corps qu'elle abandonnait volontiers à un martyre
plus grossier. Shakespeare la laisse partir sans commentaires.
Capulet, encore une fois, est le vieillard vu par un jeune
homme. Il a plus d'étoffe que le Frère, sans avoir la chair,
le sang et l'ossature de la bonne nourrice. Avec ses airs
débonnaires, son humour dont il est le premier à rire, sa
mauvaise humeur puérile, il représente un type très répandu :
le mari, le père, le chef de famille gâté. L'étude serait plus
efficace si elle n'était intermittente. La saveur de vanité satis-
faite de

> Mais Montaigue est comme moi lié, par la même pénalité.

nous met aussitôt sur un pied de familiarité avec lui. Un peu
plus tard, avec le tout venant de

> Bien dit, mes cœurs ! — Vous êtes un freluquet
> Et tenez-vous tranquille, ou — Plus de lumière ! —
> Du diable ! Je vous ferai bien rester tranquille. —
> Allons, gaiement mes cœurs !

nous le voyons *at home :* parfait homme du monde, hôte
charmant, le meilleur des hommes — tant qu'on lui laisse
faire ce qu'il veut.
Tout vieux qu'il est, il aurait bien pris part à la première
rixe; mais devant le corps de Tybalt il reste silencieux, et
c'est Dame Capulet qui crie vengeance. Sans doute aimait-il
son neveu, ce qui ne l'empêche pas, en incorrigible mondain,
de passer du cérémonieux

> Nous ne ferons pas de grands embarras. Un ami ou deux. Parce que,
> n'est-ce pas, Tybalt ayant été tué récemment, on pourrait penser que

> nous ne tenions guère à lui, si nous faisions par trop de réjouissances, vu qu'il était notre cousin.

au révélateur

> Et toi, faquin, va m'engager vingt cuisiniers habiles.

Il n'est pas sans sincérité ni sans dignité dans le cri douloureux qu'il pousse à la mort supposée de Juliette, si tant est que nous puissions deviner l'intention de Shakespeare dans une scène écrite assez à la diable. Et il reste digne et magnanime dans sa peine jusqu'à la fin. C'est une esquisse d'homme, dont le détail est souvent mal réparti et le portrait paralysé par la convention; mais on reconnaît un homme. Notons enfin que c'est un vieux monsieur très anglais, quoique d'avant l'époque du moderne milord flegmatique.

La convention règne chez plusieurs personnages secondaires, le prince, Peter, Abraham et ses confrères, Balthazar, le page de Paris, etc. Dame Capulet est floue. Benvolio, plutôt négatif, confident de Roméo et repoussoir pour Mercutio, mais tout de même doué de patience et de compassion, d'esprit et d'ironie, qui font de lui plus qu'une ombre.

Tybalt se définit en grande partie par ce que Mercutio pense de lui :

> C'est le brillant maître des cérémonies. Il se bat comme vous chantez un air d'après les notes. Il garde la mesure, les intervalles, la proportion. Il vous donne une demi-pause et puis, un, deux, le troisième est dans votre poitrine. Un vrai massacreur de boutons de soie. Un duelliste, mon cher, un duelliste. Un gentilhomme de la plus fine fleur de duel dans toutes les causes de premier ou de second ordre.

Mais l'acteur qui joue le rôle n'est pas obligé d'aller jusqu'à le mettre dans la catégorie des

> grotesques zézayants qui posent à l'excentricité.... accordeurs de bon ton... ces gens à lancer des modes, ces *pardonnez-moi*...

car ici Mercutio trahit les préjugés de John Bull.

En effet, Mercutio, à partir du moment où Shakespeare se décide à le définir, a tout à fait le tempérament du jeune John Bull de son temps, aussi différent d'ailleurs du gros John Bull moderne que Capulet du père noble de convention. Nous n'apprenons pas grand-chose sur lui jusqu'au souper des Capulet, sinon que John Bull n'est pas hostile à la poésie, et qu'il aime également la paillardise et les contes de fées. Jusqu'alors il souffre de l'incertitude de son auteur à son égard, incertitude masquée par un style de convention. L'authentique Mercutio ne commence à vivre que lorsqu'il dit :

> Où diable est-il ce Roméo ? Il n'est pas rentré chez lui cette nuit ?

Mais dès lors il est lui-même, et, comme la nourrice, il ne dit plus rien qui ne soit de son cru. Création totale de Shakespeare (son homonyme dans le poème de Brooke n'a rien à voir avec lui), il n'exige à peu près aucune explication pour être clair. Et comme la nourrice encore, il serait à sa place dans les pièces de la maturité.

Une saine indépendance d'esprit, voilà sa qualité principale ; aussi n'épouse-t-il ni le clan Capulet ni le clan Montaigue. Nous l'avons vu doué d'une joyeuse sensualité qui rehaussait le romanesque de Roméo. Quand leur joute verbale se termine — mots haletants échangés comme balles de tennis — il entoure soudain l'épaule de Roméo d'un bras affectueux et dit à son cadet :

> Allons, cela ne vaut-il pas mieux que les gémissements d'amour ? A présent te voilà sociable, à présent tu es Roméo. A présent tu es ce que tu es, par art aussi bien que par nature.

Voilà sa foi révélée ! A tout prix être ce qu'on est. Le trait est d'autant plus révélateur — et anglais — que cela tombe tout soudain et qu'on n'en parlera plus après. Voilà l'homme : pour lui, pas d'idéaux pensifs ; la vie comme elle vient et la mort quand elle vient. Philosophie marquée au coin du bon sens, réalisme complet, égoïsme sacré. C'est pourtant cet homme qui, avant la fin du jour, ira à la mort pour une cause qui n'est pas la sienne, sur une impulsion spontanée et pour le principe. Mais nulle contradiction ici : de pareilles natures vitales sont confites d'extrêmes. Du reste, Mercutio ne prétend ni à la grandeur ni à la philosophie. Quand l'heure sonne, ce n'est même pas son honneur qui est en jeu, mais à ses yeux une soumission aussi tranquille, aussi déshonorante, aussi vile dépasse les bornes permises. Que les Mercutio se battent par principe, c'est ce qu'ils répugnent à reconnaître. Allons! battez-vous avec un homme qui casse des noisettes, puisque vous avez des yeux de cette couleur, allez-y hardiment de votre vie, puisque se battre c'est la vie même. Mercutio défie Tybalt parce que c'est plus fort que lui, parce qu'il en a assez de ses airs de monsieur, et qu'il doit le remettre à sa place, puisque personne ne le fait. Il se bat sans haine, sans colère même, sans rechercher le moindre avantage personnel. Il se bat parce qu'il est ce qu'il est, pour en témoigner. Mais il est expédié *alla stoccata*, et voilà notre parfait réaliste, notre égoïste complet, qui meurt pour un idéal. Les extrêmes se touchent.

On a dit que Roméo était une esquisse de Hamlet. C'est assez vrai pour être trompeur. Les nombreuses composantes de Hamlet ont dû germer tout à loisir dans l'esprit de Shakespeare, et bourgeonner çà et là, retardées dans leur pleine fruition par le lent mûrissement de l'idée fondamentale. Nous décelons des traits de Hamlet dans Roméo, dans Richard II, dans le Jacques de COMME IL VOUS PLAIRA, et même ailleurs, là où on les attend le moins. Mais Roméo n'est pas un Hamlet plus jeune et plus amoureux, quoique Hamlet amoureux semble bien être un Roméo désabusé. Mais la ressemblance est superficielle; elle est commune à beaucoup de jeunes gens qui prennent la vie désespérément au sérieux. Si la mélancolie de Hamlet est essentielle, celle de Roméo est en grande partie une pose; et n'oublions pas le parti pris de Shakespeare lui-même, ce parti pris de jongler avec les mots et avec les idées qui investit presque toute la pièce, et dont il se libère d'ailleurs à mesure qu'il l'écrit; et enfin, il y a les vestiges abondants du Romeus de Brooke. Roméo est sur le métier jusqu'à la fin, et le travail n'avance que par à-coups. Les moments significatifs le révèlent, mais si l'on jette un coup d'œil en arrière, on s'aperçoit que le personnage est comme bourré de paille. La première tâche du comédien est de distinguer entre l'essentiel et l'adventice; sa dernière, en jouant le rôle, de réconcilier l'un et l'autre.

Rhétorique mise à part, le Roméo de

> Hors des faveurs de celle
> Pour qui je suis dans l'amour...
> Hélas, qu'Amour dont les yeux sont bandés

> Puisse découvrir sans yeux
> Le chemin de ses désirs.

ne manque pas de réalité, et s'il paraît trop haut en couleur, eh bien, ce Roméo-là n'était-il pas soucieux avant tout de se donner une palette ? Et pourtant, dans ces arabesques verbales, nous découvrons les indices d'une mélancolie trop profonde pour être expliquée par l'entêtement de Rosaline. L'inconséquence de

> Montre-moi donc une surpassante beauté ;
> A quoi servira sa beauté sinon comme note en marge
> Où je lirai celle qui passe la surpassante beauté ?

est d'un cynisme adolescent, mais trahit sa nature inquiète. Et Rosaline était une Capulet, semble-t-il : si elle lui avait souri, son étoile aurait encore été néfaste. Certes, il pose, plus amoureux de l'amour que de Rosaline, il pose pour lui-même, pour sa famille et pour ses amis, pas mécontent, ma foi, du souci qu'il leur cause. Mais en profondeur, cette âme qui, tout en suivant les masques à la fête des Capulet,

> appréhende
> Une conséquence encore dans les étoiles

montre cette qualité de sensibilité qui classe un homme hors de la foule insouciante, et l'oblige à regarder son destin en face quand il frappe. Quelques touches, donc, et la mélodie toute personnelle de son discours, en font d'emblée une figure tragique.
Il voit Juliette. Ils sont jeunes, purs et innocents ; lui autant qu'elle, car ce n'est pas sans raison que Shakespeare lui donne pour premier amour cette Amazone de Rosaline, ou que les premières paroles qu'il adresse à Juliette en lui effleurant le bout des doigts sont :

> Si je profane avec ma main qui n'est point digne
> Cette châsse bénie,

ou que leur premier échange se plie au gracieux formalisme d'un sonnet, ou que le baiser qui le scelle est mi-enjoué mi-sacramentel. Quelques mots, et les jeux sont faits : ils apprennent qui ils sont, jettent un regard au fond de l'abîme et n'y pensent plus. La passion virginale les emporte jusqu'à sa consommation naturelle. Qu'est-ce qui pourrait les arrêter ?

Ni la méfiance que donne l'expérience, ni les conseils de la nourrice ou de Frère Laurent, elle sans conscience, lui aussi candide qu'eux. La scène du balcon est comme le chant de deux oiseaux; littérairement, sa réussite est de soutenir d'un bout à l'autre, sans histoire, sans conflit, ces pures antiphonies de la joie.

Quoique les amants, et le Frère lui-même, ne séparent pas le mariage de sa consommation, il est de l'essence de la tragédie que leur hâte passionnée soit contrecarrée par le destin qui les oblige à consommer leur amour dans la peine. En un sens, le bonheur extatique de Roméo aide à précipiter le coup en lui faisant dédaigner l'insulte de Tybalt; mais il assure son redressement après la mort de Mercutio : c'est un tout autre Roméo que l'amoureux transi de Rosaline, celui qui contemple le corps de Tybalt, un Roméo sévère, prédestiné, dédaigneux de l'épée du Capulet qui arrive à la rescousse.

Les démonstrations hystériques de la scène suivante, dans la cellule de Frère Laurent, où il apprend son bannissement, semblent constituer une régression psychologique; c'est que Shakespeare a emprunté l'épisode, parfois mot à mot, au poème de Brooke, mais le Roméo que nous retrouvons à Mantoue est bien celui de Shakespeare. L'écriture maintenant est dépouillée de toute préciosité, elle suggère beaucoup plus qu'elle n'énonce et sa simplicité est grosse de pensée et de sentiment :

C'est ainsi ? Alors je vous défie, étoiles !

Voilà tout ce que Roméo dit en apprenant la mort de Juliette : mais comment montrer plus éloquemment l'âme écrasée par le coup ? Dans un éclair il voit ce qu'il va faire et nous le laisse ignorer : que Balthazar aille louer des chevaux, c'est tout. Mais, resté seul,

Juliette, près de toi je serai couché cette nuit.

Tout cela exige une puissance d'expression peu commune chez le comédien que la rhétorique abandonne, exigence relativement neuve quand la pièce fut écrite et dont l'accomplissement fut peut-être l'un des facteurs du grand succès remporté. Suit la scène de l'apothicaire, empruntée à Brooke, mais

complètement transformée et qui permet à Shakespeare de
nous présenter à loisir le Roméo qui vient de mûrir dans son
imagination.

> Combien souvent les hommes sur le point de mourir
> Se sont sentis joyeux! Ceux qui veillent sur eux
> Disent : l'éclair avant la mort.

lui fait-il dire plus loin. Sans le rendre joyeux, il lui donne
cette étrange clarté de vision et d'esprit qui appartient à l'homme
condamné par le destin, cette attention surhumaine aux petites
choses propre à celui qui sait qu'il va mourir. Il lui donne
une philosophie de la vie aux antipodes de la pétulance égoïste
du jeune garçon qu'il était encore hier : le mépris du destin
de ceux qui n'osent pas lancer le coup de dés du bonheur.
A l'apothicaire qui cherche le poison :

> Es-tu si nu et comblé d'infortune
> Et crains-tu donc la mort ?

Mais pour lui :

> Et toi, cordial et non poison, viens avec moi
> A la tombe de Juliette où je me servirai de toi.

La vie l'a brisé, et lui, à son tour, rompt le pacte avec la vie. Il
sait qu'il péchera en se tuant : tant pis, il péchera. Il implore
Paris de ne pas le provoquer, et, provoqué, le massacre sau-
vagement. Plus rien ne compte que d'être seul avec sa morte.
Ironie amère, à peine la voit-il qu'il devine sans le savoir la
vérité qui doit les sauver :

> O mon amour, ma femme,
> La mort a sucé le miel de ton haleine
> Et n'a pas eu de prise encor sur ta beauté
> Et tu n'es pas conquise. L'enseigne de beauté
> Est encor cramoisie sur tes lèvres, tes joues
> Et le pâle drapeau de la mort n'est pas avancé.

et encore, après un regard au cadavre de Tybalt :

> Ah! chère Juliette,
> Pourquoi es-tu si belle encore ?

Ce Roméo si clairement conçu dès le début, si passionnément
réalisé dans l'écriture, si profondément senti à la fin, ce Roméo

achevé, Shakespeare dut voir en lui la preuve vivante qu'il était maintenant capable de mouler une figure tragique assez puissante pour porter seul une pièce tout entière.

Juliette : une enfant. C'est ce qu'il faut comprendre, car tout le reste en dépend. Qu'elle ait quatorze ans comme ici, ou seize ans comme chez Brooke, n'importe pas. Sa tragédie est celle d'une enfant, et c'est ce qui fonde son pathétique. Son innocence hardie est d'une enfant, de même que sa confiance candide en sa nourrice, sa rage à la nouvelle de la mort de Tybalt et ses terreurs lorsqu'elle va prendre la potion. C'est un cliché dangereux de prétendre qu'aucune comédienne ne peut jouer le rôle avant d'être trop vieille pour en avoir le physique. Une Juliette doit être et paraître une jeune fille de quatorze à seize ans, et toute sophistication (ou pis, toute affectation de maturité innocente) est la ruine du rôle. Il ne faut pas non plus l'assimiler à quelque jeune fille moderne en voie d'indépendance, qui en saurait assez pour croire qu'elle en sait davantage, pour prendre le contre-pied de tout ce qu'on lui dit. Pour Juliette, la vie qu'elle entrevoit autour d'elle est mi-jungle sauvage, mi-conte de fées, et ce qu'on en peut attendre de plus estimable, c'est la fièvre qui allume le sang. Juliette est certes précoce, mais la vie plus resserrée et plus intense de son temps mûrissait plus vite les passions.

On ne peut la définir non plus comme sensuelle, car la sensualité est appesantissement bien plutôt que fièvre. Son amour est régi par l'imagination. Il est inévitable qu'il en soit ainsi : autrement, comment Shakespeare eût-il mis en œuvre la poésie dont il débordait, et comment le jeune garçon qui jouait le rôle eût-il pu l'exploiter ? La beauté de l'histoire, ses douleurs aussi, ont pour source l'imagination. Le comble de sa joie (promise, jamais réalisée), Juliette l'atteint dans le lyrisme de

> Galopez vite, ô vous coursiers aux pieds de feu...

Et c'est par la pensée qu'elle souffre les affres du mariage avec Paris et les terreurs du tombeau.

Le prompt épanouissement de sa féminité est d'autant plus éclatant que le prélude en avait été calme. L'obéissant

Madame, me voici. Que désirez-vous ?

quand elle paraît pour la première fois, sa docilité devant le bavardage de la nourrice, la simplicité de

C'est un honneur que je ne rêve point encore.

par quoi elle répond à l'allusion au grand mariage qui l'attend; tels sont les premiers contacts que nous avons avec elle. Où trouver demoiselle plus soumise ?
On ne devine rien de plus, à sa première rencontre avec Roméo, dans l'équivoque qu'elle maintient avec une modestie affectée, si ce n'est peut-être dans la petite pointe

Vous embrassez selon les plus belles manières.

par laquelle elle esquive l'obligation de rendre le baiser. Mais un instant plus tard, jaillit le premier éclair de la vraie Juliette, qui paraît la révéler à elle-même autant qu'à nous :

O mon unique amour né de ma seule haine
Inconnu vu trop tôt, et reconnu trop tard!
Monstrueuse est pour moi la naissance d'amour
Que je doive aimer mon ennemi détesté!

Et elle reste là, éperdue au miracle qui se joue en elle (comme Roméo, plus tard, pénétré d'horreur devant le cadavre frais de Tybalt) jusqu'à ce que la nourrice étonnée l'emmène. Dans les scènes suivantes, elle paraît plusieurs fois au balcon, attendant la nourrice messagère, attendant la nuit de noces; mais ce n'est qu'après l'exil de Roméo à Mantoue qu'elle occupe vraiment le centre de la scène, en butte aux coups de la Fortune. Elle se tuera plutôt que de céder, et elle a quatorze ans! Digne et résolue, elle tient tête à sa mère stupéfaite, pour éclater, l'instant d'après, en sanglots impuissants, qui déconcertent son père, mais sans l'émouvoir. Il la met en demeure, sa mère la repousse, sa nourrice la trahit, elle n'a plus que Frère Laurent pour la protéger. Réfugiée auprès de lui, elle y trouve Paris, à qui elle doit donner le change, tandis qu'il la revendique pour femme avec une assurance tranquille qui va jusqu'à l'exigence d'un baiser! Elle quitte le vieillard ébranlé, armée du seul secours qu'il puisse lui offrir, secours un peu moins désespéré que le poignard qui ne la quitte jamais. Le temps presse, et dans son affolement elle l'abrège encore en outrant le rôle qui lui est dévolu. Elle boit le poison et se réveille dans le caveau, remplie d'espérance :

> O secourable frère! Où est mon seigneur?
> Je me rappelle bien le lieu où je dois être,
> Et c'est là que je suis. Où est mon Roméo?

pour s'entendre dire

> Ton mari est étendu là mort près de ton cœur.

et voir Frère Laurent, même lui, se détourner et l'abandonner. Elle l'accompagne d'une apostrophe cinglante :

> Va, va-t'en donc, car moi je ne m'en irai pas.

Le poignard de Roméo est tout ce qui lui reste.
Si son adieu à la vie est bref, c'est sans doute parce que celui de Roméo a été long; mais tout effet de théâtre mis à part, le coup brutal qui brise sa confiance en Frère Laurent et qui l'amène à choisir la mort sans question, consomme admirablement sa tragédie. En effet, la hâte irréfléchie de sa résolution suprême achève de fixer la nuance de ce tragique. Hier enfant, aujourd'hui femme! Mais elle n'a pas mûri comme Roméo ni ne s'est élevée à la dignité impersonnelle de la douleur. Pour des raisons évidentes, les femmes de Shakespeare ne trouvent pas cet accomplissement. Elles sont des incarnations de la vie, non de la sagesse. Voici une vie tranchée dans sa fleur, et c'est une chose bien triste que ce massacre d'une enfant trahie.

H. GRANVILLE-BARKER.

NOTICE

T E X T E. *Le texte le plus ancien est le Quarto de* 1597, *un « mauvais » Quarto généralement considéré aujourd'hui comme une contrefaçon, probablement rédigée de mémoire d'après un texte déjà abrégé pour la scène. Un second Quarto, qui fait autorité, est publié en* 1599, *« nouvellement revu, corrigé et augmenté ». Le Troisième Quarto* (1609) *est une réimpression de Q2, ainsi que le Quatrième, du même libraire, sans date. Le Premier Folio de* 1623 *utilise Q3. Q1, malgré son caractère de mauvais Quarto, contient parfois de meilleures leçons que les autres Quartos et se distingue par l'intérêt de ses indications scéniques, très vivantes. Pollard et Dover Wilson* (1919) *le considèrent comme un abrégé de la revision par Shakespeare d'une pièce plus ancienne, augmenté de ce qu'un contrefacteur pouvait se rappeler de la seconde version. Aucun des textes cités n'est divisé en actes et en scènes.*

D A T E. *La pièce ne fut inscrite au Registre des Libraires que le* 22 *janvier* 1607, *mais elle figure dans la liste donnée par Meres, dans* Palladis Tamia (1598), *des œuvres de Shakespeare. Q1 déclare qu'elle a été jouée par « les comédiens de Lord Hunsdon », titre que prit la Compagnie du Lord Chambellan entre le* 22 *juillet* 1596 *et le* 17 *avril* 1597; *mais il est probable que l'éditeur cite le nom de la Compagnie à l'époque de la publication, non de la représentation en question. Une ballade sur le même sujet est inscrite au Registre des Libraires le* 5 *août* 1596, *ce qui semble indiquer que la pièce était populaire à l'époque. Certains ont interprété l'allusion de la nourrice à un tremblement de terre qui se serait produit onze ans plus tôt* (I, 3) *comme une preuve que la pièce aurait été composée en* 1591, *mais la plupart des critiques s'inscrivent en faux contre cette assertion (entre autres, E. Dowden,* 1900, *et E. K. Chambers,* 1930). *Récemment on a noté une allusion contemporaine à un autre tremblement de terre survenu en* 1584, *qui semblerait indiquer* 1595 *comme date de composition. Il n'existe aucun autre élément interne ou externe* qui permette de fixer une date précise, mais les critiques s'accordent pour penser, d'après le style, que la pièce a été écrite de bonne heure, quoique assez tard pour être affranchie de l'influence de Marlowe, et qu'elle présente une parenté avec le groupe des pièces lyriques et les Sonnets de Shakespeare. Dowden propose 1595 environ. Chambers se range à cet avis (ainsi que J. G. McManaway, 1950) et la place avant Le Songe d'une nuit d'été, parce que son thème est parodié dans l'épisode de Pyrame et Thisbé.

s o u r c e s. L'Histoire tragique de Romeus et Juliette (1562), poème d'Arthur Brooke, et peut-être le Palais du Plaisir de Painter (1566-7), l'un et l'autre tirés de la traduction (1559) par Pierre Boaistuau des Novelle de Bandello (1554). Brooke fait allusion à une pièce récente sur le même sujet, mais on ignore tout de cette pièce .

c r i t i q u e . « La pire que j'aie jamais vue », dit Pepys, mais il parle d'une adaptation de son temps comportant une fin heureuse. Johnson la considère comme « l'une des plus agréables » des pièces de Shakespeare et trouve la « catastrophe » « irrésistiblement émouvante », quoiqu'il déplore la préciosité qui « gâte toujours les endroits pathétiques ». Coleridge et Hazlitt la louent avec enchantement, mais Swinburne se plaint de ce que Shakespeare ait été obligé de s'inspirer d'une version inférieure de l'histoire, omettant « le plus bel incident de tout le conte..., les dernières paroles échangées par Roméo et Juliette mourant », ce qui « nous prive de ce qui aurait été l'endroit le plus tendre et le plus noble de la plus belle de toutes les tragédies d'amour ». Récemment, les critiques les plus intéressantes ont été celles de H. Granville-Barker (voir notre préface) et de H. B. Charlton (1948). Ce dernier souligne le caractère expérimental de la pièce, qui s'efforce d'appuyer des thèmes romanesques nouveaux dans la tragédie (inspirés de l'Italien Cinthio) sur une notion déjà archaïque, tirée de Sénèque, du Destin, avec l'aide d'une vendetta familiale présentée d'une manière peu convaincante. Selon N. Coghill, la pièce offre une ressemblance avec la tragédie médiévale et même des indices d'une influence directe du Troïle et Cresside de Chaucer. L'insistance de Gervinus (1849) sur la fonction chorique de Frère Laurent, condamnée par Dowden, est encore parfois admise de nos jours.

F. N. LEES.

ROMÉO ET JULIETTE

TRADUCTION DE PIERRE JEAN JOUVE
ET GEORGES PITOËFF

The scene: Verona and Mantua.

CHARACTERS IN THE PLAY

ESCALUS, *prince of Verona.*
PARIS, *a young nobleman, kinsman to the prince.*
MONTAGUE ⟩ *heads of two houses at enmity with each*
CAPULET ⟨ *other.*
An old man, kinsman to Capulet.
ROMEO, *son to Montague.*
MERCUTIO, *kinsman to the prince, and friend to Romeo.*
BENVOLIO, *nephew to Montague, and friend to Romeo.*
TYBALT, *nephew to Lady Capulet.*
FRIAR LAWRENCE, *a Franciscan.*
FRIAR JOHN, *of the same order.*
BALTHASAR, *servant to Romeo.*
SAMPSON ⟩ *servants to Capulet.*
GREGORY ⟨
PETER, *servant to Juliet's Nurse.*
ABRAHAM, *servant to Montague.*
An Apothecary.
Three Musicians.
Page to Paris, another Page, an Officer.
LADY MONTAGUE, *wife to Montague.*
LADY CAPULET, *wife to Capulet.*
JULIET, *daughter to Capulet.*
Nurse to Juliet.
Citizens, Kinsfolk of both houses, Guards, Watchmen,
Servants and Attendants,
CHORUS.

Scènes : Vérone, Mantoue.

PERSONNAGES

ESCALUS, *Prince de Vérone.*
PARIS, *jeune noble, parent du Prince.*
MONTAIGUE } *chefs des deux Maisons rivales.*
CAPULET
Un vieil homme, de la famille Capulet.
ROMÉO, *fils de Montaigue.*
MERCUTIO, *parent du Prince et ami de Roméo.*
BENVOLIO, *neveu de Montaigue et ami de Roméo.*
TYBALT, *neveu de Dame Capulet.*
FRÈRE LAURENT, *Franciscain.*
FRÈRE JEAN, *du même Ordre.*
BALTHAZAR, *serviteur de Roméo.*
SAMSON } *serviteurs de Capulet.*
GRÉGOIRE
PETER, *serviteur de la Nourrice de Juliette.*
ABRAHAM, *serviteur de Montaigue.*
Un apothicaire.
Trois musiciens.
Le page de Paris.
Un autre page.
Un officier.
DAME MONTAIGUE, *épouse de Montaigue.*
DAME CAPULET, *épouse de Capulet.*
JULIETTE, *fille de Capulet.*
La Nourrice de Juliette.
Citoyens de Vérone.
Parents des deux maisons.
Gardes, hommes du guet et autres.
LE CHŒUR.

ROMEO AND JULIET

The Prologue

CHORUS.
Two households, both alike in dignity,
    In fair Verona, where we lay our scene,
From ancient grudge break to new mutiny,
    Where civil blood makes civil hands unclean.
From forth the fatal loins of these two foes
    A pair of star-crossed lovers take their life;
Whose misadventured piteous overthrows
    Doth with their death bury their parents' strife.
The fearful passage of their death-marked love,
10   And the continuance of their parents' rage,
Which, but their children's end, nought could remove,
    Is now the two hours' traffic of our stage;
The which if you with patient ears attend,
What here shall miss, our toil shall strive to mend.

[*Exit.*

[I, I.]   Verona. A public place

'*Enter* S A M P S O N *and* G R E G O R Y , *of the house of*
C A P U L E T , *with swords and bucklers*'.

SAMPSON .
Gregory, on my word we'll not carry coals.
    GREGORY.
No, for then we should be colliers.

ROMÉO ET JULIETTE

PROLOGUE

Entre LE CHŒUR.

Deux anciennes Maisons d'égale dignité
Dans la belle Vérone où se tient notre scène
Font un nouvel éclat de leur antique hargne,
Le sang civil salit les mains des citoyens.

Or dans le sein fatal de ces deux ennemis
Deux amants prennent vie sous la mauvaise étoile ;
Leur malheureux écroulement très pitoyable
Enterre en leur tombeau la haine des parents.

Les terribles moments de leur amour mortel
Et l'obstination des rages familiales
Que rien sinon la mort des deux enfants n'apaisera,
Pendant deux heures nous le jouerons sur ce théâtre ;

Et si vous nous prêtez une patiente oreille,
Tout défaut, notre zèle le rachètera.

Il sort.

[I, I.]   Vérone. Une place publique

'*Entrent* SAMSON *et* GRÉGOIRE, *de la Maison Capulet,*
avec épées et boucliers.'

SAMSON.
Ma parole, Grégoire ! nous ne mettrons pas ça dans notre
sac.
GRÉGOIRE.
Hé non, parce qu'alors nous serions des chiffonniers.

I, I. 3

SAMPSON.
I mean, an we be in choler we'll draw.
GREGORY.
Ay, while you live draw your neck out of collar.
SAMPSON.
I strike quickly, being moved.
GREGORY.
But thou art not quickly moved to strike.
SAMPSON.
A dog of the house of Montague moves me.
GREGORY.
To move is to stir, and to be valiant is to stand: therefore
if thou art moved thou runn'st away.
SAMPSON.
10 A dog of that house shall move me to stand: I will take the
wall of any man or maid of Montague's.
GREGORY.
That shows thee a weak slave, for the weakest goes to the
wall.
SAMPSON.
'Tis true, and therefore women, being the weaker vessels,
are ever thrust to the wall: therefore I will push Mon-
tague's men from the wall, and thrust his maids to the wall.
GREGORY.
The quarrel is between our masters, and us their men.
SAMPSON.
'Tis all one; I will show myself a tyrant: when I have
fought with the men, I will be cruel with the maids; I will
20 cut off their heads.
GREGORY.
The heads of the maids?
SAMPSON.
Ay, the heads of the maids, or their maiden-heads; take
it in what sense thou wilt.
GREGORY.
They must take it in sense that feel it.

SAMSON.

Je veux dire que si on nous met en colère, nous tirerons l'épée!

GRÉGOIRE.

Hé oui, car dans la vie faut toujours se tirer des pieds.

SAMSON.

Je frappe vite, quand on m'excite [1].

GRÉGOIRE.

Mais t'es pas assez vite excité pour frapper.

SAMSON.

Un chien de la Maison de Montaigue, ça m'excite.

GRÉGOIRE.

S'exciter, c'est remuer, pour être brave faut tenir dur. Donc si tu t'excites tu fous le camp.

SAMSON.

Un chien de cette Maison-là ça m'excite à tenir dur. Je prendrai le côté du mur contre les hommes et contre les filles de Montaigue!

GRÉGOIRE.

Ce qui prouve que t'es un faible esclave : le plus faible, il se met au mur.

SAMSON.

Bien dit; et puisque les femmes c'est les vases les plus fragiles [2], elles sont toujours contre le mur; alors j'écarterai du mur les hommes de Montaigue, et je presserai les filles sur le mur!

GRÉGOIRE.

La querelle est entre les maîtres, et entre nous leurs hommes.

SAMSON.

C'est tout pareil! Je me montrerai un tyran. Après que j'aurai battu les hommes, je serai cruel avec les filles. Je les passerai au fil de l'épée.

GRÉGOIRE.

Au fil de l'épée les filles ?

SAMSON.

Oui je les passerai au fil de l'épée ou je les enfilerai, prends-le dans le sens qui te plaira.

GRÉGOIRE.

Celles qui le sentiront, elles le prendront dans le vrai sens.

37

I, 1. 25

SAMPSON.
Me they shall feel while I am able to stand, and 'tis known
I am a pretty piece of flesh.
GREGORY.
'Tis well thou art not fish; if thou hadst, thou hadst been
poor John.   Draw thy tool; here comes two of the house
of Montagues.

Enter Abraham and another serving man.

SAMPSON.
30 My naked weapon is out: quarrel; I will back thee.
GREGORY.
How?   Turn thy back and run?
SAMPSON.
Fear me not.
GREGORY.
No, marry; I fear thee!
SAMPSON.
Let us take the law of our sides; let them begin.
GREGORY.
I will frown as I pass by, and let them take it as they list.
SAMPSON.
Nay, as they dare. I will bite my thumb at them, which
is disgrace to them if they bear it.
ABRAHAM.
Do you bite your thumb at us, sir?
SAMPSON.
I do bite my thumb, sir.
ABRAHAM.
40 Do you bite your thumb at us, sir?
(SAMPSON.
Is the law of our side if I say ay?
(GREGORY.
No.
SAMPSON.
No, sir, I do not bite my thumb at you, sir, but I bite my
thumb, sir.

SAMSON.

C'est moi qu'elles sentiront tant que je serai capable de tenir dur. Car tu sais, je suis un assez joli morceau de chair.

GRÉGOIRE.

Hé! on sait bien que t'es pas une morue, si tu l'étais tu ferais pas l'affaire. Allons, tire-le ton instrument : en voilà deux de la Maison de Montaigue.

Entrent Abraham et un autre serviteur.

SAMSON.

Mon arme nue est tirée. Toi, querelle! Je suis dans ton dos.

GRÉGOIRE.

Ouais! dans mon dos. Pour filer?

SAMSON.

Aie pas peur.

GRÉGOIRE.

Par la Vierge, avoir peur de toi?

SAMSON.

Gardons la loi pour nous et laissons-les commencer.

GRÉGOIRE.

En passant devant eux je les regarderai de travers, et qu'ils le prennent comme ils voudront.

SAMSON.

Non, comme ils oseront! Je vais mordre mon pouce à leur figure, et tu sais c'est un déshonneur pour eux s'ils le supportent.

ABRAHAM.

Est-ce pour nous que vous vous mordez le pouce, Monsieur?

SAMSON.

Je mords mon pouce, Monsieur.

ABRAHAM.

Est-ce pour nous que vous vous mordez le pouce, Monsieur?

(SAMSON.

La loi est-elle de notre côté si je dis oui?

(GRÉGOIRE.

Non.

SAMSON.

Non, Monsieur, ce n'est pas pour vous que je mords mon pouce, Monsieur, mais je mords mon pouce, Monsieur.

I, I. 45

GREGORY.
Do you quarrel, sir?
ABRAHAM.
Quarrel, sir? No, sir.
SAMPSON.
But if you do, sir, I am for you: I serve as good a man as you.
ABRAHAM.
No better.
SAMPSON.
Well, sir.

'Enter Benvolio' on one side, Tybalt on the other.

(GREGORY [*seeing Tybalt*].
50 Say 'better': here comes one of my master's kinsmen.
SAMPSON.
Yes, better, sir.
ABRAHAM.
You lie.
SAMPSON.
Draw, if you be men. Gregory, remember thy washing blow.

['*they fight*'.

BENVOLIO [*intervening from behind*].
Part, fools!
Put up your swords; you know not what you do.

Tybalt comes up.

TYBALT.
What, art thou drawn among these heartless hinds?
Turn thee, Benvolio; look upon thy death.
BENVOLIO.
I do but keep the peace: put up thy sword,
60 Or manage it to part these men with me.
TYBALT.
What, drawn, and talk of peace? I hate the word.

GRÉGOIRE.
Est-ce que vous cherchez une querelle, Monsieur?

ABRAHAM.
Une querelle, Monsieur? Non, Monsieur.

SAMSON.
Parce que si vous cherchez une querelle, Monsieur, je suis votre homme, Monsieur. Je sers un aussi bon maître que vous.

ABRAHAM.
Mais pas meilleur.

SAMSON.
Bon, Monsieur.

> '*Entre Benvolio d'un côté. Entre Tybalt de l'autre.*'

(GRÉGOIRE.
Dis « meilleur » : je vois venir un des parents du patron.

SAMSON.
Oui, meilleur, Monsieur.

ABRAHAM.
Vous mentez.

SAMSON.
Dégainez, si vous êtes des hommes. Grégoire, souviens-toi de la fameuse botte!

> '*Ils se battent.*'

BENVOLIO.
Arrière, fous!
Rentrez vos épées, vous ne savez pas ce que vous faites.

> *Tybalt s'avance.*

TYBALT.
Quoi, dégainer parmi ces biches sans cerf[3]?
Tourne-toi, Benvolio, et regarde ta mort.

BENVOLIO.
Je ne fais que maintenir la paix :
Rentre ton épée, ou manie-la pour séparer ces gens.

TYBALT.
Allons, l'épée tirée parler de paix?
Ce mot je le hais

41

I, I. 62

As I hate hell, all Montagues, and thee:
Have at thee, coward.

They fight. Enter several of both houses, joining in the fray.
Then 'enter three or four Citizens with clubs or partisans',
and an Officer.

OFFICER.
Clubs, bills, and partisans! Strike, beat them down.
Down with the Capulets, down with the Montagues!

'Enter old Capulet in his gown, and his wife'.

CAPULET.
What noise is this? Give me my long sword, ho!
LADY CAPULET.
A crutch, a crutch! Why call you for a sword?
CAPULET.
My sword, I say! Old Montague is come,
And flourishes his blade in spite of me.

'Enter old Montague and his wife'.

MONTAGUE.
70 Thou villain Capulet!—Hold me not, let me go.
LADY MONTAGUE.
Thou shalt not stir one foot to seek a foe.

'Enter Prince Escalus, with his train'.

PRINCE.
Rebellious subjects, enemies to peace,
Profaners of this neighbour-stainéd steel,—
Will they not hear? What ho! you men, you beasts,
That quench the fire of your pernicious rage
With purple fountains issuing from your veins,
On pain of torture, from those bloody hands
Throw your mistempered weapons to the ground,
And hear the sentence of your movéd prince.
80 Three civil brawls, bred of an airy word
By thee, old Capulet, and Montague,
Have thrice disturbed the quiet of our streets,
And made Verona's ancient citizens
Cast by their grave beseeming ornaments

Comme je hais l'enfer, tous les Montaigue et toi :
En garde, couard !

Ils se battent. Arrivent des partisans des deux Maisons qui se joignent au combat ; puis 'des citoyens avec bâtons et pertuisanes' ; et un garde.

UN GARDE.

Bâtons, pertuisanes et piques ! Frappez-les, écrasez-les. A bas les Capulet ! à bas les Montaigue !

'*Entrent le vieux Capulet dans sa robe, et Dame Capulet.*'

CAPULET.

Quel vacarme ! Donnez-moi mon espadon, ho !

DAME CAPULET.

Une béquille, oui ! Vous, demander un espadon ?

CAPULET.

Mon espadon je dis ! Le vieux Montaigue arrive, il brandit sa lame, il me met au défi !

'*Entrent le vieux Montaigue et Dame Montaigue.*'

MONTAIGUE.

Toi, infâme Capulet ! Ne me retenez pas, laissez-moi aller !

DAME MONTAIGUE.

Je ne vous laisserai point faire un pas du côté de votre ennemi !

'*Entre le Prince Escalus, avec sa suite.*'

LE PRINCE.

Sujets rebelles, ennemis de la paix, profanateurs
De cet acier souillé du sang prochain, —
Quoi, n'entendront-ils pas ? Vous hommes, bêtes sauvages
Qui éteignez le feu de vos rages mauvaises
Avec la fontaine rouge de vos veines,
Sous peine de torture : de ces sanglantes mains
Jetez à terre vos épées si mal trempées [4],
Écoutez la sentence de votre prince irrité.
Trois discordes civiles
Engendrées par des paroles de vent
Par ta faute, vieux Capulet, par ta faute, Montaigue,
Ont trois fois troublé la paix de nos rues
Et fait que les anciens citoyens de Vérone
Laissant les vêtements graves qui leur conviennent

I, I. 85

To wield old partisans, in hands as old,
Cankered with peace, to part your cankered hate:
If ever you disturb our streets again,
Your lives shall pay the forfeit of the peace.
For this time, all the rest depart away:
90 You, Capulet, shall go along with me;
And, Montague, come you this afternoon,
To know our farther pleasure in this case,
To old Freetown, our common judgement-place.
Once more, on pain of death, all men depart.

[*all but Montague, Lady Montague, and Benvolio depart.*

MONTAGUE.
Who set this ancient quarrel new abroach?
Speak, nephew, were you by when it began?
BENVOLIO.
Here were the servants of your adversary
And yours, close fighting ere I did approach:
I drew to part them; in the instant came
100 The fiery Tybalt, with his sword prepared,
Which, as he breathed defiance to my ears,
He swung about his head, and cut the winds,
Who, nothing hurt withal, hissed him in scorn:
While we were interchanging thrusts and blows,
Came more and more, and fought on part and part,
Till the prince came, who parted either part.
LADY MONTAGUE.
O where is Romeo? Saw you him today?
Right glad I am he was not at this fray.
BENVOLIO.
Madam, an hour before the worshipped sun
110 Peered forth the golden window of the east,
A troubled mind drave me to walk abroad,
Where, underneath the grove of sycamore
That westward rooteth from this city's side,
So early walking did I see your son:
Towards him I made, but he was ware of me,

Ont pris de leurs vieilles mains leurs vieilles pertuisanes
Rongées par la paix,
Pour séparer vos haines également rongées.
Si désormais vous troublez l'ordre de la ville
Vos vies paieront pour ce manquement à la paix.
Aujourd'hui que tous se retirent.
Vous Capulet vous viendrez avec moi.
Vous Montaigue vous comparaîtrez cet après-midi
A la vieille Ville-Franche notre Cour de Justice
Et connaîtrez nos volontés en cette affaire.
Encore une fois, sous peine de mort, que tous se retirent!

Tous sortent, sauf Montaigue, Dame Montaigue et Benvolio.

MONTAIGUE.
Qui nous a ramené cette vieille querelle? Dites-moi donc,
neveu, étiez-vous là quand ça a commencé?
BENVOLIO.
Les gens de l'adversaire avec les vôtres
Se battaient serré lorsque j'arrivai.
Je dégainai pour les séparer; alors survint
L'impétueux Tybalt, son épée préparée
Qu'il brandissait par-dessus sa tête en tranchant les vents
Tandis qu'il soufflait ses défis près de mes oreilles,
Et les vents n'en éprouvant aucun dommage
Le sifflaient avec le plus grand mépris.
Pendant que nous échangions bottes et coups
Il en vint d'autres et d'autres, on se battit parti contre parti
Et le Prince arriva enfin qui départit les partis.
DAME MONTAIGUE.
Oh! où est Roméo?
Aujourd'hui le vîtes-vous? Je suis heureuse
Qu'il n'ait point été dans la bagarre.
BENVOLIO.
Madame, une heure avant que le soleil sacré
Ait percé la fenêtre dorée de l'orient
Un esprit d'inquiétude me poussait dehors;
Et là sous le berceau des sycomores
Qui prennent racine à l'ouest de la ville
J'aperçus votre fils marchant de si bonne heure.
J'allai vers lui. Mais dès qu'il me sentait

And stole into the covert of the wood:
I, measuring his affections by my own,
Which then most sought where most might not be found,
Being one too many by my weary self,
120 Pursued my humour, not pursuing his,
And gladly shunned who gladly fled from me.
    MONTAGUE.
Many a morning hath he there been seen,
With tears augmenting the fresh morning's dew,
Adding to clouds more clouds with his deep sighs;
But all so soon as the all-cheering sun
Should in the farthest east begin to draw
The shady curtains from Aurora's bed,
Away from light steals home my heavy son,
And private in his chamber pens himself,
130 Shuts up his windows, locks fair daylight out,
And makes himself an artificial night:
Black and portentous must this humour prove,
Unless good counsel may the cause remove.
    BENVOLIO.
My noble uncle, do you know the cause?
    MONTAGUE.
I neither know it, nor can learn of him.
    BENVOLIO.
Have you importuned him by any means?
    MONTAGUE.
Both by myself and many other friends:
But he, his own affection's counsellor,
Is to himself—I will not say how true—
140 But to himself so secret and so close,
So far from sounding and discovery,
As is the bud bit with an envious worm,
Ere he can spread his sweet leaves to the air,
Or dedicate his beauty to the sun.
Could we but learn from whence his sorrows grow,
We would as willingly give cure as know.

                       'Enter Romeo'.

    BENVOLIO.
See where he comes: so please you, step aside;

Il se glissait sous le couvert des bois.
Moi, mesurant ses inclinations d'après les miennes
Qui recherchent le plus les lieux où je puisse être le moins vu,
Moi étant un de trop près du triste moi-même
Suivis ma fantaisie sans poursuivre la sienne
Et volontiers j'évitai qui volontiers me fuyait.
     MONTAIGUE.
Bien des matins on l'a vu là
Avec ses larmes augmentant la fraîche rosée
Ajoutant aux nuages par ses soupirs profonds d'autres nuages.
Mais aussitôt que le soleil égayant tout
De l'est le plus lointain commence d'écarter
Les rideaux vaporeux près du lit de l'Aurore,
Loin de la clarté chez lui mon sombre fils
Se glisse et se renferme dans sa chambre,
Clôt ses fenêtres, chasse le beau jour dehors
Et fait pour lui la nuit artificielle.
Noire et bien redoutable deviendra cette humeur
A moins qu'un bon conseil n'en écarte la cause.
     BENVOLIO.
Oncle très noble, connaissez-vous la cause ?
     MONTAIGUE.
Je ne la sais, et de lui je ne l'apprendrai.
     BENVOLIO.
L'avez-vous pressé de parler par quelque moyen ?
     MONTAIGUE.
Moi-même et bien d'autres amis nous l'avons fait;
Mais lui le conseiller de sa propre pensée
Est à lui-même — avec quelle sincérité je ne puis dire —
Est à lui-même aussi secret, aussi fermé,
Aussi loin de la pénétration et la découverte
Qu'est le bouton mordu par le ver envieux
Avant qu'il pût étendre en l'air ses feuilles douces
Et dédier à la lumière sa beauté.
Si nous pouvions apprendre d'où lui vient son chagrin
Volontiers nous lui donnerions les soins qui conviennent.

                         'Entre Roméo.'

     BENVOLIO.
Le voici qui vient; tenez-vous à l'écart, je vous en prie.

I, I. 148

I'll know his grievance or be much denied.
 MONTAGUE.
I would thou wert so happy by thy stay
150 To hear true shrift. Come, madam, let's away.

      [Montague and his wife depart.

 BENVOLIO.
Good morrow, cousin.
 ROMEO.
      Is the day so young?
 BENVOLIO.
But new struck nine.
 ROMEO.
      Ay me, sad hours seem long.
Was that my father that went hence so fast?
 BENVOLIO.
It was. What sadness lengthens Romeo's hours?
 ROMEO.
Not having that which, having, makes them short.
 BENVOLIO.
In love?
 ROMEO.
Out—
 BENVOLIO.
Of love?
 ROMEO.
Out of her favour where I am in love.
 BENVOLIO.
160 Alas that Love, so gentle in his view,
Should be so tyrannous and rough in proof!
 ROMEO.
Alas that Love, whose view is muffled still,
Should without eyes see pathways to his will!
Where shall we dine?—O me! What fray was here?
Yet tell me not, for I have heard it all:
Here's much to do with hate, but more with love:

48

Ou il m'opposera bien des refus, ou je connaîtrai son chagrin.
> MONTAIGUE.

Je souhaite que vous soyez assez heureux
Pour entendre sa confession. Madame, retirons-nous.

Montaigue et Dame Montaigue sortent.

> BENVOLIO.

Bon matin, mon cousin.
> ROMÉO.

Le jour est-il si jeune ?
> BENVOLIO.

Neuf heures juste sonnées.
> ROMÉO.

Les tristes heures sont longues.
N'est-ce pas mon père qui vient de partir vivement ?
> BENVOLIO.

C'était lui.
Quelle peine allonge les heures de Roméo ?
> ROMÉO.

Ne pas avoir ce qui, si on l'avait, les rendrait brèves.
> BENVOLIO.

En amour ?
> ROMÉO.

Hors.
> BENVOLIO.

D'amour ?
> ROMÉO.

Hors des faveurs de celle
Pour qui je suis dans l'amour.
> BENVOLIO.

Hélas, qu'Amour si délicieux à notre vue
Puisse devenir tyrannique et dur à l'épreuve !
> ROMÉO.

Hélas, qu'Amour dont les yeux sont bandés
Puisse découvrir sans yeux
Le chemin de ses désirs !
Où dînons-nous ? O Dieu. Quelle était cette bagarre ?
Non ne me le dis pas car j'ai tout entendu.
Combien l'on a d'affaire ici avec la haine
Mais plus encore avec l'amour !

I, I. 167

Why, then, O brawling love, O loving hate,
O anything of nothing first create!
O heavy lightness, serious vanity,
170 Misshapen chaos of well-seeming forms,
Feather of lead, bright smoke, cold fire, sick health,
Still-waking sleep, that is not what it is!
This love feel I, that feel no love in this.
Dost thou not laugh?
  BENVOLIO.
                No, coz, I rather weep.
  ROMEO.
Good heart, at what?
  BENVOLIO.
                At thy good heart's oppression.
  ROMEO.
Why, such is love's transgression.
Griefs of mine own lie heavy in my breast,
Which thou wilt propagate, to have it pressed
With more of thine. This love that thou hast shown
180 Doth add more grief to too much of mine own.
Love is a smoke made with the fume of sighs:
Being purged, a fire sparkling in lover's eyes:
Being vexed, a sea nourished with lovers' tears.
What is it else? A madness most discreet,
A choking gall and a preserving sweet.
Farewell, my coz.
  BENVOLIO.
                Soft, I will go along:
And if you leave me so, you do me wrong.
  ROMEO.
Tut, I have lost myself, I am not here,
This is not Romeo, he's some other where.
  BENVOLIO.
190 Tell me in sadness, who is that you love?
  ROMEO.
What, shall I groan and tell thee?

Quoi donc! Amour braillard! Et amoureuse haine!
Oh toutes choses d'abord enfantées de rien!
O lourde légèreté! Sérieuse vanité!
Et chaos difforme de belles apparences!
Plumes de plomb, fumée lumineuse,
Flamme glacée, santé malade,
Sommeil qui toujours veille et n'est point ce qu'il est!
Voici l'amour que je ressens
Moi qui de tout ceci ne ressens point l'amour.
Mais toi ne ris-tu pas?
    BENVOLIO.
                Non, mon cousin, je pleure.
    ROMÉO.
Que pleures-tu, bon cœur?
    BENVOLIO.
                L'oppression d'un bon cœur.
    ROMÉO.
Voilà, telle est la transgression d'Amour
Car mes peines d'amour pèsent lourd sur mon cœur
Et tu vas les grandir en les pressant encore
Avec les tiennes; car cet amour que tu me montres
Ajoute plus de peine encore à mon trop de peines.
L'amour est une fumée formée des vapeurs de soupirs:
Purifié, c'est un feu dans les yeux des amants,
Agité, une mer nourrie des larmes des amants;
Et quoi encor? La folie la plus sage
Le fiel qui nous étouffe, la douceur qui nous sauve.
Adieu mon cousin.
    BENVOLIO.
                Doucement! Je te suis
Car tu me ferais tort en me laissant ainsi.
    ROMÉO.
Hé, je me suis perdu moi-même, je ne suis plus là;
Ce n'est pas Roméo, ailleurs est Roméo.
    BENVOLIO.
Mais dis-moi
Sérieusement qui aimes-tu?
    ROMÉO.
Quoi, me faut-il gémir et te le dire?

I, 1. 191

BENVOLIO.

                                 Groan? Why no:
But sadly tell me, who?

ROMEO.

Bid a sick man in sadness make his will——
A word ill urged to one that is so ill.
In sadness, cousin, I do love a woman.

BENVOLIO.

I aimed so near when I supposed you loved.

ROMEO.

A right good markman! And she's fair I love.

BENVOLIO.

A right fair mark, fair coz, is soonest hit.

ROMEO.

Well, in that hit you miss. She'll not be hit
200 With Cupid's arrow: she hath Dian's wit,
And, in strong proof of chastity well armed,
From Love's weak childish bow she lives unharmed.
She will not stay the siege of loving terms,
Nor bide th'encounter of assailing eyes,
Nor ope her lap to saint-seducing gold.
O, she is rich in beauty, only poor
That, when she dies, with beauty dies her store.

BENVOLIO.

Then she hath sworn that she will still live chaste?

ROMEO.

She hath, and in that sparing makes huge waste:
210 For beauty, starved with her severity,
Cuts beauty off from all posterity.
She is too fair, too wise, wisely too fair.
To merit bliss by making me despair:
She hath forsworn to love, and in that vow
Do I live dead, that live to tell it now.

BENVOLIO.

Gémir ? Non, mais dis, sérieusement, qui ?

ROMÉO.

Ordonne à un mourant
De sérieusement faire son testament.
O mot mal présenté
A celui qui se sent profondément malade !
Sérieusement, ô mon cousin, j'aime une femme.

BENVOLIO.

J'ai donc visé bien près
Supposant que tu aimes.

ROMÉO.

Tireur vraiment très bon !
Et belle est celle que j'aime.

BENVOLIO.

Mais une belle cible
Cousin, se touche bien.

ROMÉO.

Oui, cette fois tu touches mal : elle ne veut point
Etre touchée par Cupidon : sagesse de Diane ;
Et protégée par une chasteté bien armée
Vit non blessée par l'arc enfantin de l'Amour.
Elle ne veut supporter le siège des mots d'amour
Ni souffrir la rencontre des regards à l'assaut
Ni ouvrir son giron
A l'or capable de séduire les saintes.
Oh elle est riche en beauté, pauvre seulement
En ce que, quand elle mourra
Avec sa beauté mourra tout son trésor.

BENVOLIO.

Alors elle a juré de vivre toujours chaste ?

ROMÉO.

Elle l'a fait, et en vertu de cette économie
Elle commet le plus énorme gaspillage ;
Car la beauté, par tant de rigueur affamée
Prive de toute descendance la beauté.
Elle est trop belle, trop sage et trop sagement belle.
En me désespérant pour sa félicité,
Elle a juré de ne pas aimer, et dans ce vœu
Je vis mort, vivant seulement pour le dire.

I, I. 216

BENVOLIO.
Be ruled by me; forget to think of her.
ROMEO.
O, teach me how I should forget to think.
BENVOLIO.
By giving liberty unto thine eyes;
Examine other beauties.
ROMEO.
                              'Tis the way
220 To call hers (exquisite) in question more.
These happy masks that kiss fair ladies' brows,
Being black, puts us in mind they hide the fair.
He that is strucken blind cannot forget
The precious treasure of his eyesight lost.
Show me a mistress that is passing fair:
What doth her beauty serve but as a note
Where I may read who passed that passing fair?
Farewell, thou canst not teach me to forget.
BENVOLIO.
I'll pay that doctrine, or else die in debt.

                                        [*they go.*

[I, 2.]   The same; later in the day
'*Enter* CAPULET, *County* PARIS, *and the* CLOWN',
                              servant to Capulet.

CAPULET.
But Montague is bound as well as I,
In penalty alike; and 'tis not hard, I think,
For men so old as we to keep the peace.
PARIS.
Of honourable reckoning are you both,
And pity 'tis you lived at odds so long.
But now, my lord, what say you to my suit?
CAPULET.
But saying o'er what I have said before:

54

BENVOLIO.
Laisse-moi te conduire, et oublie d'y penser.
ROMÉO.
Oh apprends-moi comment oublier de penser.
BENVOLIO.
En rendant leur liberté à tes regards :
Examine d'autres beautés.
ROMÉO.
                C'est le moyen
De rappeler la sienne, exquise, d'autant plus fort.
Ces heureux petits masques
Qui baisent sur le front les jolies jeunes femmes
Étant noirs font penser qu'ils cachent la beauté claire.
L'homme frappé de cécité ne peut oublier
Le beau trésor de voir, perdu par ses regards.
Montre-moi donc une surpassante beauté ;
A quoi servira sa beauté sinon comme note en marge
Où je lirai celle qui passe la surpassante beauté ?
Adieu, tu ne m'apprendras pas à oublier.
BENVOLIO.
Je miserai sur cette affaire ! devrais-je mourir endetté.

Ils sortent.

[I, 2.]   Une rue

'*Entrent* CAPULET, PARIS *et un* SERVITEUR.'

CAPULET.
Mais Montaigue est comme moi lié, par la même pénalité.
Ce n'est pas bien difficile de maintenir la paix pour des
    hommes de notre âge.
PARIS.
Vous êtes l'un et l'autre d'estimable renommée
Et vous voir si longtemps vivre dans la querelle fait pitié.
A présent Monseigneur, que répondrez-vous je vous prie à
    ma demande en mariage ?
CAPULET.
Mais je réponds ce que j'ai déjà répondu :

I, 2. 8

My child is yet a stranger in the world;
She hath not seen the change of fourteen years:
10 Let two more summers wither in their pride
Ere we may think her ripe to be a bride.
    PARIS.
Younger than she are happy mothers made.
    CAPULET.
And too soon marred are those so early made.
Earth hath swallowed all my hopes but she;
She is the hopeful lady of my earth.
But woo her, gentle Paris, get her heart;
My will to her consent is but a part:
And, she agreed, within her scope of choice
Lies my consent and fair according voice.
20 This night I hold an old accustomed feast,
Whereto I have invited many a guest,
Such as I love; and you among the store,
One more most welcome, makes my number more.
At my poor house look to behold this night
Earth-treading stars that make dark heaven light.
Such comfort as do lusty young men feel
When well-apparelled April on the heel
Of limping winter treads, even such delight
Among fresh female buds shall you this night
30 Inherit at my house: hear all, all see,
And like her most whose merit most shall be:
Which on more view, of many mine being one
May stand in number, though in reckoning none.
Come, go with me. [*To the Clown*] Go, sirrah, trudge about
Through fair Verona; find those persons out
Whose names are written there, [*giving him a paper*]
                    and to them say
My house and welcome on their pleasure stay.

                    [*Capulet and Paris go.*

  CLOWN [*turns the paper about*].
Find them out whose names are written here! It is written
that the shoemaker should meddle with his yard and the

Mon enfant est encore une étrangère au monde; elle n'a pas
    vu muer ses quatorze ans.
Laissez donc deux étés dépérir dans leur orgueil avant que
    nous l'estimions mûre pour devenir une épouse.
    P A R I S .
De plus jeunes, Monseigneur, ont fait d'heureuses mères.
    C A P U L E T .
Trop tôt se sont gâtées celles qui trop tôt l'ont fait.
La terre a englouti toutes mes espérances
A l'exception d'elle,
Elle est aussi la dame en espoir de mes terres [5].
Mais courtisez-la, aimable Paris, et gagnez son cœur,
Ma volonté en son consentement n'est qu'une partie
Et si elle agrée, dans le champ de son choix
Se trouvent ma voix consentante et mon agrément.
Cette nuit je donne une fête selon la coutume ancienne,
A laquelle j'ai convié toute la compagnie
De ceux que j'aime, et vous parmi la quantité
Un de plus, le très bienvenu,
Vous ferez mon nombre plus grand.
Dans ma pauvre maison cette nuit, prenez la peine d'apercevoir
Ces étoiles passant sur terre illuminant le sombre ciel.
Le plaisir que connaissent les jeunes gens robustes
Quand l'avril à la belle parure
Marche sur les talons du boiteux hiver,
Vous allez l'avoir ce soir dans ma maison
Parmi ces frais boutons de femmes.
Écoutez-les, voyez-les toutes,
Que vous plaise le plus celle aux plus grands mérites :
Celle qui vue de bien près — ma fille étant l'une —
Pourra faire nombre sans cependant faire le compte...
Allons, venez avec moi. — Trotte, faquin, dans la belle
Vérone. Trouve-moi les personnes dont les noms sont écrits
là, et dis-leur que ma maison et mon hospitalité sont au
service de leur plaisir.

                     Capulet et Paris sortent.

    L E S E R V I T E U R .
Trouve-moi, qu'il dit, les personnes dont les noms sont
écrits là. Il est écrit que le cordonnier s'occupera avec son

40 tailor with his last, the fisher with his pencil and the painter
with his nets.   But I am sent to find those persons whose
names are here writ, and can never find what names the wri-
ting person hath here writ.   I must to the learned.   In
good time!

'*Enter Benvolio and Romeo*'.

BENVOLIO.
Tut, man, one fire burns out another's burning,
One pain is lessened by another's anguish;
Turn giddy, and be holp by backward turning;
One desperate grief cures with another's languish;
Take thou some new infection to thy eye,
50 And the rank poison of the old will die.
ROMEO.
Your plantain leaf is excellent for that.
BENVOLIO.
For what, I pray thee?
ROMEO.
                           For your broken shin.
BENVOLIO.
Why, Romeo, art thou mad?
ROMEO.
Not mad, but bound more than a madman is:
Shut up in prison, kept without my food,
Whipped and tormented, and—God-den, good fellow.
CLOWN.
God gi' god-den. I pray, sir, can you read?
ROMEO.
Ay, mine own fortune in my misery.
CLOWN.
Perhaps you have learned it without book: but, I pray, can
60 you read anything you see?
ROMEO.
Ay, if I know the letters and the language.

mètre et le tailleur avec ses formes, le pêcheur avec son
pinceau et le peintre avec ses filets! Mais moi on m'envoie
trouver ces personnes, dont les noms sont écrits là! Et moi
je ne peux pas trouver ces noms que la personne qui écrit
a écrits là! Faudrait quelqu'un pour m'éclairer. Hé voilà,
à la bonne heure.

'Entrent Benvolio et Roméo.'

BENVOLIO.
Bah, l'ami, un feu dévore un autre feu,
Une peine par l'angoisse d'une autre est diminuée,
Tourne jusqu'au vertige
Et rétablis-toi dans le sens opposé,
Un désespoir par la langueur d'un autre se guérit.
Prends donc quelque nouvelle infection par tes yeux
Et le puissant poison de l'ancien mal périt.

ROMÉO.
Ta feuille de plantain est très bonne en ce cas.

BENVOLIO.
Bonne en quel cas?

ROMÉO.
                    Pour ta jambe cassée.

BENVOLIO.
Es-tu fou, Roméo?

ROMÉO.
Pas fou, mais plus lié que ne peut l'être un fou;
Enfermé en prison, gardé sans nourriture,
Fouetté, tourmenté et — Bonsoir, mon garçon.

LE SERVITEUR.
Dieu vous donne le bonsoir, M'sieur, s'il vous plaît savez-
vous lire?

ROMÉO.
Oui... Ma fortune dans mon infortune.

LE SERVITEUR.
Peut-être bien que vous l'avez appris sans livre. Mais, je vous
demande, est-ce que vous pouvez lire n'importe quelle chose
que vous voyez?

ROMÉO.
Fort bien, si j'en connais les lettres et la langue.

CLOWN.
Ye say honestly: rest you merry.

[he turns to go.

ROMEO.
Stay, fellow; I can read.

[he reads the list.
'Signior Martino and his wife and daughters,
County Anselmo and his beauteous sisters,
The lady widow of Vitruvio,
Signior Placentio and his lovely nieces,
Mercutio and his brother Valentine,
Mine uncle Capulet, his wife and daughters,
70 My fair niece Rosaline and Livia,
Signior Valentio and his cousin Tybalt,
Lucio and the lively Helena.'
A fair assembly: whither should they come?
CLOWN.
Up.
ROMEO.
Whither?
CLOWN.
To supper; to our house.
ROMEO.
Whose house?
CLOWN.
My master's.
ROMEO.
Indeed I should have asked thee that before.
CLOWN.
80 Now I'll tell you without asking. My master is the great
rich Capulet; and, if you be not of the house of Montagues,
I pray come and crush a cup of wine. Rest you merry.

[goes.

BENVOLIO.
At this same ancient feast of Capulet's
Sups the fair Rosaline whom thou so loves,
With all the admiréd beauties of Verona:

LE SERVITEUR.

C'est ma foi bien parler, M'sieur, Dieu vous garde en joie.

ROMÉO.

Attends, mon garçon : je sais lire.

Il lit :

Le signor Martino, son épouse et ses filles,
Le comte Anselme et ses ravissantes sœurs,
La dame veuve de Vitruvio,
Le signor Placentio et ses charmantes nièces,
Mercutio et son frère Valentin,
Mon oncle Capulet, son épouse et ses filles,
Ma belle nièce Rosaline, Livia,
Le signor Valentio et son cousin Tybalt,
Lucio et la spirituelle Helena.

Une belle assemblée. Où doivent-ils se rendre?

LE SERVITEUR.

Là-haut, dans —

ROMÉO.

Où là-haut?

LE SERVITEUR.

Pour souper; dans notre maison.

ROMÉO.

Quelle maison?

LE SERVITEUR.

Celle de mon maître.

ROMÉO.

En effet j'aurais dû vous le demander d'abord.

LE SERVITEUR.

Et maintenant, sans que vous me le demandiez je vous le dirai. Mon maître, c'est le grand, c'est le riche Capulet. Et si vous n'êtes pas, vous, un de la Maison de Montaigue, je vous prie de venir pour vider une coupe de vin. Dieu vous garde en joie!

Il sort.

BENVOLIO.

A cette ancienne fête des Capulet
Soupera la belle Rosaline que tant tu aimes
Au milieu des beautés admirées de Vérone.

I, 2. 86

Go thither, and with unattainted eye
Compare her face with some that I shall show,
And I will make thee think thy swan a crow.
    ROMEO.
When the devout religion of mine eye
90 Maintains such falsehood, then turn tears to fires:
And these who, often drowned, could never die,
Transparent heretics, be burnt for liars.
One fairer than my love! The all-seeing sun
Ne'er saw her match since first the world begun.
    BENVOLIO.
Tut, you saw her fair, none else being by,
Herself poised with herself in either eye:
But in that crystal scales let there be weighed
Your lady's love against some other maid
That I will show you shining at this feast,
100 And she shall scant show well that now seems best.
    ROMEO.
I'll go along, no such sight to be shown,
But to rejoice in splendour of mine own.

                                            [*they go.*

[I, 3.]   Within Capulet's house

                   '*Enter Capulet's Wife, and* NURSE'.

LADY CAPULET.
Nurse, where's my daughter? Call her forth to me.
    NURSE.
Now, by my maidenhead at twelve year old,
I bade her come. What, lamb! What, lady-bird!
God forbid! Where's this girl? What, Juliet!

                                    '*Enter Juliet*'.

JULIET.
How now, who calls?

Vas-y et d'un œil non prévenu compare
Son visage à certains que je te montrerai ;
Tu verras que ton cygne n'est rien qu'un corbeau.
ROMÉO.
Si la dévote religion de mes deux yeux
Admet pareille fausseté,
Alors que mes larmes soient changées en feu !
Et ceux qui si souvent noyés n'ont pas pu périr encore,
Hérétiques transparents,
Que pour mensonge ils soient brûlés !
Une plus belle que mon amour ! Mais le soleil qui perçoit tout
N'a jamais vu son égale depuis le commencement du monde.
BENVOLIO.
Allons, tu l'as vue belle, nulle autre n'étant près d'elle,
Elle-même contre elle-même pesée dans tes deux yeux ;
Mais dans la balance cristalline équilibre donc
Ton amour avec une autre belle fille
Que ce soir je te montrerai brillante à cette fête,
Et la belle d'à présent deviendra bien pauvrement belle.
ROMÉO.
J'irai, non pour que ta vision me soit montrée
Mais pour me réjouir des splendeurs de ma belle.

Ils sortent.

[I, 3.]   Une chambre dans la maison de Capulet
'*Entrent* DAME CAPULET *et* LA NOURRICE.'

DAME CAPULET.
Allons, Nourrice, où est ma fille ? Appelle-la, qu'elle vienne
me parler.
LA NOURRICE.
Mais par mon pucelage quand j'avais douze ans ! je lui ai
dit de venir. — Hé, mon agneau ! Hé, la petite garce ! — Dieu
me pardonne. — Où est-elle cette enfant ? — Hé, Juliette !

'*Entre Juliette.*'

JULIETTE.
Voyons, qui m'appelle ?

I, 3. 6

NURSE.
Your mother.
JULIET.
Madam, I am here. What is your will?
LADY CAPULET.
This is the matter. Nurse, give leave awhile:
We must talk in secret. Nurse, come back again:
10 I have remembered me; thou's hear our counsel.
Thou knowest my daughter's of a pretty age.
NURSE.
Faith, I can tell her age unto an hour.
LADY CAPULET.
She's not fourteen.
NURSE.
                I'll lay fourteen of my teeth—
And yet, to my teen be it spoken, I have but four—
She's not fourteen.   How long is it now
To Lammas-tide?
LADY CAPULET.
             A fortnight and odd days.
NURSE.
Even or odd, of all days in the year,
Come Lammas-Eve at night shall she be fourteen.
Susan and she—God rest all Christian souls—
20 Were of an age. Well, Susan is with God;
She was too good for me. But, as I said,
On Lammas-Eve at night shall she be fourteen:
That shall she, marry; I remember it well.
'Tis since the earthquake now eleven years,
And she was weaned—I never shall forget it—
Of all the days of the year, upon that day:
For I had then laid wormwood to my dug,
Sitting in the sun under the dove-house wall.
My lord and you were then at Mantua—
30 Nay, I do bear a brain! But, as I said,

LA NOURRICE.

Votre mère.

JULIETTE.

Madame, me voici. Que désirez-vous ?

DAME CAPULET.

Voilà. Nourrice, laisse-nous un instant.
Nous allons parler en secret. — Nourrice, reviens après tout,
J'y pense, tu peux entendre notre entretien.
Tu sais que ma fille est d'un assez bel âge.

LA NOURRICE.

Par ma foi, à une heure près je dirai son âge.

DAME CAPULET.

Elle n'a pas encor ses quatorze ans.

LA NOURRICE.

Et moi je parie quatorze de mes dents
— Encor c'est parler à mon dam, j'en ai plus que quatre —
Qu'elle n'a pas encore quatorze. Combien de temps qu'il y a
Jusqu'à la Saint-Pierre-aux-Liens ?

DAME CAPULET.

                              Une quinzaine et quelques jours.

LA NOURRICE.

Quelques jours ou pas quelques jours, de tous les jours de
     l'année
Quand viendra la veille de Saint-Pierre, dans la nuit elle aura
     quatorze.
Suzanne et elle — Dieu sauve toutes les âmes chrétiennes —
C'était juste le même âge. Bien, Suzanne est avec Dieu,
Elle était trop bonne pour moi. — Mais ainsi que je le dis,
La nuit de la Saint-Pierre-aux-Liens, Juliette aura ses
     quatorze.
Elle les aura, par la sainte Vierge! Parce que je m'en souviens
     bien,
Ça fait maintenant onze années depuis le tremblement de
     terre,
Et elle a été sevrée — non jamais je ne l'oublierai,
Justement ce jour-là de tous les jours de l'année —
Car j'avais mis, figurez-vous, de l'absinthe à mon mamelon,
Assise au soleil que j'étais sous le mur du pigeonnier;
Mon maître et vous vous étiez allés à Mantoue; —
Non mais j'en ai une mémoire! — alors comme je le disais,

I, 3. 31

When it did taste the wormwood on the nipple
Of my dug, and felt it bitter, pretty fool,
To see it tetchy and fall out with the dug!
'Shake,' quoth the dove-house : 'twas no need, I trow,
To bid me trudge.
And since that time it is eleven years;
For then she could stand high-lone; nay, by th' rood,
She could have run and waddled all about:
For even the day before, she broke her brow,
40 And then my husband—God be with his soul,
'A was a merry man—took up the child:
'Yea,' quoth he, 'dost thou fall upon thy face ?
Thou wilt fall backward when thou hast more wit;
Wilt thou not, Jule ?' And, by my holidame,
The pretty wretch left crying, and said 'Ay'.
To see now how a jest shall come about!
I warrant, an I should live a thousand years,
I never should forget it: 'Wilt thou not, Jule ?' quoth he;
And, pretty fool, it stinted, and said 'Ay'.
        LADY   CAPULET.
50 Enough of this; I pray thee hold thy peace.
        NURSE.
Yes, madam, yet I cannot choose but laugh,
To think it should leave crying, and say 'Ay':
And yet, I warrant, it had upon it brow
A bump as big as a young cockerel's stone,
A perilous knock: and it cried bitterly.
'Yea', quoth my husband, 'fallst upon thy face ?
Thou wilt fall backward when thou comest to age:
Wilt thou not, Jule ?' It stinted, and said 'Ay'.
        JULIET.
And stint thou too, I pray thee, Nurse, say I.
        NURSE.
60 Peace, I have done.   God mark thee to his grace!
Thou wast the prettiest babe that e'er I nursed:
An I might live to see thee married once,
I have my wish.
        LADY   CAPULET.
Marry, that 'marry' is the very theme

66

Quand ça a goûté l'absinthe sur le bout de mon téton
Et quand ça l'a senti amer, ah bien alors, ah la follette!
Fallait la voir en colère! se battant avec le téton!
« Tremble » a fait le pigeonnier : et pas besoin, je vous le dis,
De me prier de déguerpir!
Eh bien de ce temps-là il y a onze ans;
Et alors elle se tenait toute seule, et même oui par la sainte
    Croix,
Elle pouvait déjà courir, elle se dandinait partout;
Même que le jour d'avant elle s'était cognée sur le front
Et mon mari — que Dieu ait pitié de son âme,
C'était un homme gai — en relevant l'enfant :
« Oui, qu'il dit, alors tu es tombée sur ta figure ?
Tu vas tomber sur le dos quand tu seras plus intelligente.
C'est-y vrai, petite Jule ? » Et par Notre-Dame
La petite garce elle cesse de pleurer, elle répond « Oui ».
Faut voir comme tombe à propos la bonne plaisanterie!
Non je vivrais mille ans, ah vraiment je vous le promets
Jamais je ne l'oublierais : « C'est-y vrai, petite Jule ? »
Et la folle, ça s'arrête de pleurer et ça répond « Oui ».
    DAME CAPULET.
Allons, assez là-dessus, Nourrice, tais-toi.
    LA NOURRICE.
Oui Madame, et puis je ne peux pas m'empêcher de rire
En pensant que ça cesse de pleurer et ça répond « Oui ».
Et puis, je le garantis, ça avait au front
Une bosse aussi grosse qu'une couille de jeune coq,
Un mauvais coup; et ça pleurait amèrement :
« Oui, dit mon mari, alors tu es tombée sur ta figure ?
Tu vas tomber sur le dos quand tu arriveras à l'âge.
C'est-y vrai, petite Jule ? » Ça s'arrête et « Oui », j'te dis.
    JULIETTE.
Mais arrête aussi, Nourrice, je te dis [6].
    LA NOURRICE.
Paix, j'ai fini. Que Dieu te marque de sa grâce.
Tu étais le plus beau bébé que j'aie nourri
Et si je vis assez vieille pour te voir un jour mariée
Tous mes vœux seront accomplis.
    DAME CAPULET.
Mais par Marie, c'est justement de la « marier »

I, 3. 65

I came to talk of. Tell me, daughter Juliet,
How stands your dispositions to be married?
    J U L I E T .
It is an honour that I dream not of.
    N U R S E .
An honour! Were not I thine only nurse,
I would say thou hadst sucked wisdom from thy teat.
    L A D Y   C A P U L E T .
70 Well, think of marriage now; younger than you
Here in Verona, ladies of esteem,
Are made already mothers. By my count,
I was your mother much upon these years
That you are now a maid. Thus then in brief:
The valiant Paris seeks you for his love.
    N U R S E .
A man, young lady! Lady, such a man
As all the world—Why, he's a man of wax.
    L A D Y   C A P U L E T .
Verona's summer hath not such a flower.
    N U R S E .
Nay, he's a flower; in faith, a very flower.
    L A D Y   C A P U L E T .
80 What say you? Can you love the gentleman?
This night you shall behold him at our feast:
Read o'er the volume of young Paris' face,
And find delight writ there with beauty's pen;
Examine every married lineament,
And see how one another lends content;
And what obscured in this fair volume lies
Find written in the margent of his eyes.
This precious book of love, this unbound lover,
To beautify him, only lacks a cover.
90 The fish lives in the sea; and 'tis much pride
For fair without the fair within to hide.
That book in many's eyes doth share the glory,
That in gold clasps locks in the golden story:
So shall you share all that he doth possess,
By having him making yourself no less.

Que nous allons parler. Dites, ma fille Juliette,
Comment vous sentez-vous disposée à l'égard du mariage ?
    J U L I E T T E .
C'est un honneur que je ne rêve point encore.
    L A   N O U R R I C E .
Un honneur! si je n'étais pas ta seule nourrice
Je dirais que la sagesse, tu l'as sucée au téton.
    D A M E   C A P U L E T .
Eh bien le temps vient d'y penser; de plus jeunes que vous
Dans Vérone dames de réputation
Sont déjà mères. Si je fais le calcul
J'étais votre mère à peu près vers cet âge
Où vous êtes encor jeune fille. Allons donc au but :
Le vaillant Paris vous recherche pour femme.
    L A   N O U R R I C E .
Un homme, jeune dame, un tel homme, ah Madame!
Que dans le monde entier — enfin, beau comme le marbre!
    D A M E   C A P U L E T .
Tout l'été de Vérone n'a pas plus belle fleur.
    L A   N O U R R I C E .
Ah oui c'est une fleur, ma foi c'est une vraie fleur.
    D A M E   C A P U L E T .
Qu'en dites-vous ? pouvez-vous aimer ce gentilhomme ?
Ce soir vous le verrez à notre fête :
Ouvrez le livre du visage de Paris
Trouvez les charmes inscrits en lui par la plume de la beauté;
Examinez ses lignes qui se marient si bien
Voyez comment l'une par l'autre elles sont satisfaites;
Et ce qui demeurera obscur en ce beau volume
Trouvez-le donc écrit dans la marge de ses yeux.
Ce précieux livre d'amour, cet amant non recouvert
Pour s'embellir n'a besoin que d'une jolie couverture.
Le poisson se meut dans la mer; et c'est le comble de la
    splendeur
Quand le bel en dehors cache un bel intérieur;
Tel livre aux yeux de beaucoup reçoit la gloire
Qui par ses fermoirs d'or étreint une histoire d'or.
Ainsi vous allez partager tout ce qu'il possède
Et l'ayant, sans vous diminuer vous-même en rien.

1. 3. 96

NURSE.
No less! Nay, bigger women grow by men!
    LADY CAPULET.
Speak briefly, can you like of Paris' love?
    JULIET.
I'll look to like, if looking liking move;
But no more deep will I endart mine eye
100 Than your consent gives strength to make it fly.

                                'Enter Servingman'.

    SERVINGMAN.
Madam, the guests are come, supper served up, you called,
my young lady asked for, the nurse cursed in the pantry,
and everything in extremity. I must hence to wait;
I beseech you follow straight.
    LADY CAPULET.
We follow thee. Juliet, the county stays.
    NURSE.
Go, girl, seek happy nights to happy days.

                                        [they go.

[1, 4.]   Without Capulet's house

'Enter ROMEO, MERCUTIO, BENVOLIO, with
        five or six other masquers; torch-bearers'.

    ROMEO.
What, shall this speech be spoke for our excuse?
Or shall we on without apology?
    BENVOLIO.
The date is out of such prolixity:
We'll have no Cupid hoodwinked with a scarf,
Bearing a Tartar's painted bow of lath,
Scaring the ladies like a crow-keeper:
Nor no without-book prologue, faintly spoke
After the prompter, for our entrance:
But, let them measure us by what they will,

LA NOURRICE.

Diminuer, que non, augmenter! Les femmes grossissent
par les hommes.

DAME CAPULET.

Parlons bref, approuvez-vous l'amour de Paris?

JULIETTE.

Je verrai à l'approuver, si voir me porte à approuver;
Mais je ne lancerai point mon regard plus loin
Que votre consentement ne lui en donnera force.

'*Entre un serviteur.*'

LE SERVITEUR.

Madame, les invités sont là, souper servi, vous appelée,
ma jeune maîtresse réclamée, la Nourrice maudite à l'office,
enfin tout poussé à l'extrémité! Je dois aller servir, je vous en
prie suivez-moi.

DAME CAPULET.

Nous te suivons. — Juliette, le comte attend.

LA NOURRICE.

Va fille! chercher d'heureuses nuits pour tes heureux jours.

Elles sortent.

[I, 4.]   Une rue

'*Entrent* ROMÉO, MERCUTIO, BENVOLIO *avec cinq
ou six autres masques et des porteurs de torches.*'

ROMÉO.

Eh bien, dirons-nous ce petit discours pour notre excuse
Ou entrerons-nous sans autre apologie?

BENVOLIO.

Le temps est passé de tout ce bavardage.
Nous n'aurons pas de Cupidon sous le capuchon d'une écharpe
Portant l'arc tartare en bois peint
Faisant peur aux dames comme un chasse-corbeau [7],
Ni prologue de mémoire ânonné grâce au souffleur
Pour notre entrée;
Mais laissons-les nous mesurer comme il leur plaît,

I, 4. 10

10 We'll measure them a measure and be gone.
   R O M E O .
Give me a torch: I am not for this ambling;
Being but heavy, I will bear the light.
   M E R C U T I O .
Nay, gentle Romeo, we must have you dance.
   R O M E O .
Not I, believe me: you have dancing shoes
With nimble soles; I have a soul of lead
So stakes me to the ground I cannot move.
   M E R C U T I O .
You are a lover: borrow Cupid's wings,
And soar with them above a common bound.
   R O M E O .
I am too sore enpiercéd with his shaft
20 To soar with his light feathers and so bound;
I cannot bound a pitch above dull woe:
Under love's heavy burthen do I sink.
   M E R C U T I O .
And, to sink in it, should you burthen love—
Too great oppression for a tender thing.
   R O M E O .
Is love a tender thing? It is too rough,
Too rude, too boisterous, and it pricks like thorn.
   M E R C U T I O .
If love be rough with you, be rough with love;
Prick love for pricking, and you beat love down.
Give me a case to put my visage in:
30 A visor for a visor! What care I
What curious eye doth quote deformities?
Here are the beetle-brows shall blush for me.

[*putting on a mask.*

   B E N V O L I O .
Come, knock and enter, and no sooner in
But every man betake him to his legs.
   R O M E O .
A torch for me; let wantons light of heart

Puis nous leur mesurerons une mesure et nous partirons.
ROMÉO.
Donnez une torche. Je ne marche pas l'amble;
N'étant que sombre et lourd
Je porterai la lumière légère.
MERCUTIO.
Non, gentil Roméo, il nous faut votre danse.
ROMÉO.
Non, croyez-moi; vous avez des souliers de danse
Aux semelles légères,
Moi j'ai l'âme de plomb qui m'attache à la terre,
Je ne saurais bouger.
MERCUTIO.
Vous êtes un amoureux; empruntez l'aile
De Cupidon et hors de tous les liens envolez-vous.
ROMÉO.
Je suis trop lourdement [8] transpercé par sa flèche
Pour m'envoler sur ses plumes légères; tant dans les liens
Qu'aucun essor ne peut me délivrer de ma douleur :
Et sous l'énorme poids de l'amour je succombe.
MERCUTIO.
Mais pour succomber en lui vous devriez
Faire poids sur l'amour;
C'est trop grande oppression pour une tendre chose.
ROMÉO.
L'amour tendre chose ? Trop dure, trop brutale,
Trop impétueuse, qui perce comme un dard.
MERCUTIO.
Si l'amour est brute avec vous, soyez brute avec l'amour.
Percez l'amour s'il vous perce
Et vous mettrez dedans l'amour.
Donnez-moi donc une boîte et j'y placerai mon visage :
Un masque pour un masque. Ai-je souci
Qu'un œil curieux remarque les difformités ?
Voici deux gros sourcils qui rougiront pour moi.
BENVOLIO.
Allons, frappons, entrons, et aussitôt dedans
Que chaque homme s'en remette à ses deux jambes.
ROMÉO.
Une torche pour moi. Badins au cœur léger

1, 4. 36

Tickle the senseless rushes with their heels.
For I am proverbed with a grandsire phrase,
I'll be a candle-holder, and look on.
The game was ne'er so fair, and I am done.
  MERCUTIO.
40 Tut, dun's the mouse, the constable's own word:
If thou art Dun, we'll draw thee from the mire,
Or save-your-reverence love, wherein thou stickest
Up to the ears.   Come, we burn daylight, ho.
  ROMEO.
Nay, that's not so.
  MERCUTIO.
                        I mean, sir, in delay
We waste our lights in vain, like lights by day.
Take our good meaning, for our judgement sits
Five times in that ere once in our five wits.
  ROMEO.
And we mean well in going to this masque,
But 'tis no wit to go.
  MERCUTIO.
                        Why, may one ask?

  ROMEO.
50 I dreamt a dream tonight.
  MERCUTIO.
                        And so did I.

  ROMEO.
Well, what was yours?
  MERCUTIO.
                        That dreamers often lie.

  ROMEO.
In bed asleep while they do dream things true.
  MERCUTIO.
O then I see Queen Mab hath been with you.
She is the fairies' midwife, and she comes
In shape no bigger than an agate-stone
On the fore-finger of an alderman,
Drawn with a team of little atomi

Chatouillez avec vos talons le sol jonché,
Moi le dicton des vieux me met en proverbe :
Je serai porteur de chandelle et regarderai.
Jamais le jeu ne fut plus beau, et mon jeu si sombre.
    MERCUTIO.
Bah, la souris est sombre, dit le constable [9],
Et si tu sombres, nous te tirerons du bourbier
De — sauf révérence — l'amour
Où tu es jusqu'aux oreilles.
Mais viens, nous brûlons ici la lumière du jour.
    ROMÉO.
Ceci n'est pas vrai.
    MERCUTIO.
                    Par là, Monsieur, j'ai voulu dire
Que dans l'attente nous gaspillons nos lumières
Comme une lanterne allumée en plein jour.
Saisissez la bonne intention, car notre jugement y réside
Cinq fois plus que dans chacun de nos cinq sens.
    ROMÉO.
Et nous avons bonne intention, allant à cette mascarade,
Mais y aller manque de sens.
    MERCUTIO.
                    Pourquoi, puis-je le demander ?
    ROMÉO.
J'ai fait un rêve cette nuit.
    MERCUTIO.
                    Et moi aussi.
    ROMÉO.
Bien, quel était le vôtre ?
    MERCUTIO.
                    C'était que ceux qui rêvent
Sont souvent mis dedans.
    ROMÉO.
                    Dedans le lit
Où ils dorment en rêvant des rêves vrais.
    MERCUTIO.
Alors je vois que la Reine Mab vous a visité.
C'est l'accoucheuse des fées et elle vient
Pas plus grosse qu'une pierre d'agate à l'index d'un échevin,
Traînée par un attelage de petits atomes,

I. 4. 58

Over men's noses as they lie asleep.
Her chariot is an empty hazel-nut,
60 Made by the joiner squirrel or old grub
Time out o' mind the fairies' coachmakers:
Her waggon-spokes made of long spinners' legs,
The cover of the wings of grasshoppers,
Her traces of the smallest spider-web,
Her collars of the moonshine's watery beams,
Her whip of cricket's bone, the lash of film;
Her waggoner a small grey-coated gnat,
Not half so big as a round little worm
Pricked from the lazy finger of a maid.
70 And in this state she gallops night by night
Through lovers' brains, and then they dream of love;
O'er courtiers' knees, that dream on curtsies straight;
O'er lawyers' fingers who straight dream on fees;
O'er ladies' lips, who straight on kisses dream,
Which oft the angry Mab with blisters plagues
Because their breaths with sweetmeats tainted are.
Sometime she gallops o'er a courtier's nose,
And then dreams he of smelling out a suit:
And sometime comes she with a tithe-pig's tail
80 Tickling a parson's nose as 'a lies asleep,
Then dreams he of another benefice.
Sometime she driveth o'er a soldier's neck,
And then dreams he of cutting foreign throats,
Of breaches, ambuscadoes, Spanish blades,
Of healths five fathom deep; and then anon
Drums in his ear, at which he starts and wakes,
And being thus frighted swears a prayer or two,
And sleeps again. This is that very Mab
That plats the manes of horses in the night,
90 And bakes the elf-locks in foul sluttish hairs,
Which once untangled much misfortune bodes:

Se poser sur le nez des hommes quand ils dorment.
Son char est une noisette vide
Confectionnée par un écureuil menuisier
Ou par le vieux ciron
De temps immémorial le carrossier des fées.
Les rayons des roues de son carrosse
Sont faits de longues pattes de faucheux ;
La capote, avec des ailes de sauterelles ;
Les harnais, de la plus fine toile d'araignée,
Et le collier, de rayons humides de clair de lune ;
Son fouet d'un os de grillon, la mèche d'un fil de la Vierge ;
Son cocher, un petit moucheron gris-vêtu
Pas plus gros que la moitié du petit ver rond
Que l'on tire du doigt paresseux d'une servante ;
En cet atour nuit après nuit elle galope
Dans les cerveaux des amoureux
Et alors ils rêvent d'amour ;
Sur les genoux des courtisans
Qui vivement rêvent de courbettes ;
Sur les doigts des hommes de loi
Qui aussitôt rêvent d'honoraires ;
Et sur les lèvres des dames
Qui à l'instant rêvent de baisers,
Ces lèvres que Mab furieuse couvre d'ampoules
Car leur haleine par les douceurs est empestée ;
Parfois elle galope au nez d'un courtisan
Et lui de rêver qu'il flaire un beau placet ;
Parfois avec la queue d'un cochon de la dîme
Elle chatouille le nez d'un ecclésiastique
Et lui reçoit en rêve un nouveau bénéfice ;
Parfois elle roule sur le cou d'un soldat,
Il rêve alors qu'il coupe des gorges étrangères,
Voit des brèches, des embuscados, des lames espagnoles,
Boit des rasades profondes de cinq brasses,
Le tambour bat à son oreille, il tressaille, il se réveille
Et ainsi effrayé jure une prière ou deux
Et se rendort. C'est toujours cette Mab
Qui tresse la crinière des chevaux la nuit
Et dans leurs poils gluants fabrique des nœuds magiques
Qui débrouillés font arriver de grands malheurs.

I, 4. 92

This is the hag, when maids lie on their backs,
That presses them and learns them first to bear,
Making them women of good carriage:
This is she—
   R O M E O .

              Peace, peace, Mercutio, peace!
Thou talkst of nothing.
   M E R C U T I O .

                True, I talk of dreams,
Which are the children of an idle brain,
Begot of nothing but vain fantasy,
Which is as thin of substance as the air,
100 And more inconstant than the wind, who woos
Even now the frozen bosom of the north,
And, being angered, puffs away from thence,
Turning his side to the dew-dropping south.
   B E N V O L I O .
This wind you talk of blows us from ourselves:
Supper is done, and we shall come too late.
   R O M E O .
· I fear, too early: for my mind misgives
Some consequence, yet hanging in the stars,
Shall bitterly begin his fearful date
With this night's revels, and expire the term
110 Of a despiséd life closed in my breast,
By some vile forfeit of untimely death.
But He that hath the steerage of my course
Direct my sail! On, lusty gentlemen.
   B E N V O L I O .
Strike, drum.

                    [they march into the house.

C'est la sorcière, quand les filles sont sur le dos,
Qui les presse et leur apprend à l'endurer la première fois,
Faisant d'elles des femmes de bonne charge!
C'est encore elle —
    ROMÉO.
                    Ah paix, Mercutio, paix!
Vous parlez de riens.
    MERCUTIO.
                    Il est vrai, c'est de rêves
Qui sont les enfants des cervelles paresseuses,
Enfants de vaine fantaisie
Et aussi fins de substance que l'air
Et plus inconstants que le vent qui caresse
En ce moment le sein glacé du nord
Et s'étant irrité souffle bien loin de là
Jusque vers le sud couvert de rosée.
    BENVOLIO.
Ce vent dont vous parlez
Nous porte loin de nous-mêmes;
Le souper est fini
Nous arriverons trop tard.
    ROMÉO.
Bien trop tôt, je le crains; mon esprit appréhende
Une conséquence encore dans les étoiles
Et qui cruellement va commencer son cours
Avec cette fête nocturne, et mettra fin
A la méprisable vie que je porte en ma poitrine
Par quelque vil arrêt de mort prématurée.
Mais que Celui qui tient le gouvernail de mon voyage
Dirige aussi la voile! Allons, joyeux seigneurs.
    BENVOLIO.
Battez, tambours.

                                    Ils sortent.

ROMEO AND JULIET

[I, 5.]

*The hall in Capulet's house; musicians waiting. Enter the
masquers, march round the hall, and stand aside. 'Servingmen
come forth with napkins'.*

FIRST SERVINGMAN.
Where's Potpan, that he helps not to take away? He shift
a trencher! He scrape a trencher!
SECOND SERVINGMAN.
When good manners shall lie all in one or two men's
hands, and they unwashed too, 'tis a foul thing.
FIRST SERVINGMAN.
Away with the joined-stools, remove the court-cupboard,
look to the plate—Good thou, save me a piece of marchpane;
and, as thou loves me, let the porter let in Susan Grindstone
and Nell—Antony and Potpan!
THIRD SERVINGMAN.
Ay, boy, ready.
FIRST SERVINGMAN.
10 You are looked for and called for, asked for and sought
for, in the great chamber.
FOURTH SERVINGMAN.
We cannot be here and there too. Cheerly, boys; be brisk
a while, and the longer liver take all.

[*Servingmen withdraw.
'Enter' Capulet, and Juliet, with 'all the guests and gentle-
women to the masquers'.*

CAPULET.
Welcome, gentlemen! Ladies that have their toes
Unplagued with corns will walk a bout with you.
Ah, my mistresses, which of you all
Will now deny to dance? She that makes dainty,
She I'll swear hath corns: am I come near ye now?

80

[I, 5.]   Une salle dans la maison de Capulet

Des musiciens attendent. Entrent les masques qui font le tour
de la salle et se rangent de côté. 'Des serviteurs s'avancent, por-
tant du linge'.

PREMIER SERVITEUR.
Et où est Potasoupe, qu'il n'aide pas à desservir? Lui, porter
un tranchoir! Lui, racler un tranchoir!

DEUXIÈME SERVITEUR.
Quand toutes les bonnes manières sont dans les mains d'un
ou deux hommes, et quand avec ça ces mains-là ne sont pas
lavées, alors c'est une sale affaire.

PREMIER SERVITEUR.
Et enlevez-moi ces tabourets! Déplacez le buffet, en veillant
sur l'argenterie, pas? Et toi mon vieux, mets-moi de côté
un morceau de massepain. Et si tu m'aimes, dis au portier
de laisser entrer Suzanne Mangetout. Antoine! Potasoupe!

TROISIÈME SERVITEUR.
Oui, garçon, voilà!

PREMIER SERVITEUR.
On vous cherche, on vous appelle, on vous demande, on
vous réclame dans la grande salle!

QUATRIÈME SERVITEUR.
On peut pourtant pas être partout! Et allons, les garçons!
Vivement pour une fois. Et celui qui vivra le plus longtemps
il emportera tout!

Les serviteurs se retirent.
'Entrent' Capulet et Juliette, ainsi 'que tous les invités et sui-
vantes, allant à la rencontre des masques'.

CAPULET.
La bienvenue, Messieurs! Les dames dont les orteils
Ne sont pas martyrisés par les cors
Vont faire avec vous un petit tour de danse.
Ah ah! mes maîtresses, laquelle de vous toutes
Va maintenant refuser de danser?
Celle qui fera la délicate, je le jurerais
Elle a des cors, Messieurs, elle a des cors!

Welcome, gentlemen! I have seen the day
20 That I have worn a visor and could tell
A whispering tale in a fair lady's ear,
Such as would please: 'tis gone, 'tis gone, 'tis gone.
You are welcome, gentlemen! Come, musicians, play.
A hall, a hall! Give room. And foot it, girls.
                    ['*music plays and they dance*'.
More light, you knaves, and turn the tables up,
And quench the fire—the room is grown too hot.
Ah, sirrah, this unlooked-for sport comes well.—
Nay sit, nay sit, good cousin Capulet,
For you and I are past our dancing days.
30 How long is't now since last yourself and I
Were in a masque?
        SECOND CAPULET.
                    By'r Lady, thirty years.
    CAPULET.
What, man! 'tis not so much, 'tis not so much:
'Tis since the nuptial of Lucentio,
Come Pentecost as quickly as it will,
Some five and twenty years, and then we masqued.
        SECOND CAPULET.
'Tis more, 'tis more; his son is elder, sir:
His son is thirty.
    CAPULET.
                    Will you tell me that?
His son was but a ward two years ago.
    ROMEO [*to a servingman*].
What lady's that which doth enrich the hand
40 Of yonder knight?
        SERVINGMAN.
                    I know not, sir.
    (ROMEO.
O she doth teach the torches to burn bright!

N'ai-je pas touché juste ? — La bienvenue, Messieurs !
Et moi j'ai vu le jour où je portais un masque
Où je pouvais dire
Une chuchotante histoire à l'oreille des dames,
De celles qui plaisent bien ! C'est fini, c'est fini. —
La bienvenue, Messieurs ! — Hé musiciens, jouez !
Place, place, faites place dans la salle
Et fillettes, dansez !

> 'Les musiciens jouent, et on danse.'

Donnez plus de lumière ! Et enlevez les tables
Et éteignez le feu car il commence à faire trop chaud. —
Ah, bondieu, ce divertissement inattendu vient à propos. —
Mais non, asseyez-vous, asseyez-vous mon bon cousin
   Capulet, car vous et moi nous les avons vécus nos jours
   de danse :
Combien y a-t-il de temps depuis que vous et moi nous
   étions sous des masques pour la dernière fois ?
   DEUXIÈME CAPULET.
Par Notre-Dame, trente ans.
   CAPULET.
Comment, bon ami, trente ans ! Pas si longtemps, pas si
   longtemps !
Ça date du mariage de Lucentio.
Que la Pentecôte vienne aussi vite qu'elle le voudra, ça fait
   quelque vingt-cinq ans.
Et nous portions des masques !
   DEUXIÈME CAPULET.
Plus que ça, plus que ça.
Son fils est plus âgé que ça, Monsieur. Son fils a trente ans.
   CAPULET.
Qu'est-ce que vous me racontez ?
Son fils était encore mineur il y a deux ans.
   ROMÉO.
Qui est cette dame enrichissant le bras
De ce cavalier ?
   UN SERVITEUR.
            Je ne sais pas, Monsieur.
   (ROMÉO.
Oh elle enseigne aux torches à briller splendidement !

I, 5, 42

It seems she hangs upon the cheek of night
As a rich jewel in an Ethiop's ear—-
Beauty too rich for use, for earth too dear!
So shows a snowy dove trooping with crows,
As yonder lady o'er her fellows shows.
The measure done, I'll watch her place of stand,
And, touching hers, make blessèd my rude hand.
Did my heart love till now? Forswear it, sight!
50 For I ne'er saw true beauty till this night.
  TYBALT.
This, by his voice, should be a Montague.
Fetch me my rapier, boy. [*his page goes*] What dares the slave
Come hither, covered with an antic face,
To fleer and scorn at our solemnity?
Now, by the stock and honour of my kin,
To strike him dead I hold it not a sin.
  CAPULET.
Why, how now, kinsman! wherefore storm you so?
  TYBALT.
Uncle, this is a Montague, our foe:
A villain that is hither come in spite,
60 To scorn at our solemnity this night.
  CAPULET.
Young Romeo is it?
  TYBALT.
                    'Tis he, that villain Romeo.
  CAPULET.
Content thee, gentle coz, let him alone,
'A bears him like a portly gentleman:
And, to say truth, Verona brags of him
To be a virtuous and well-governed youth.
I would not for the wealth of all this town
Here in my house do him disparagement:
Therefore be patient, take no note of him.
It is my will, the which if thou respect,
70 Show a fair presence and put off these frowns,
An ill-beseeming semblance for a feast.

On dirait qu'elle pend à la joue de la nuit
Comme un riche joyau à l'oreille d'un Éthiopien ;
Beauté trop riche pour qu'on en use et trop chère pour la terre !
Comme une colombe de neige en troupe avec des corneilles
Ainsi paraît cette dame au milieu de ses compagnes.
La danse finie, je vais voir où elle est ;
Ma rude main sera bénie touchant la sienne.
Mon cœur jusqu'à présent a-t-il aimé ?
Jurez que non, mes yeux,
Car jamais avant cette nuit je n'avais vu la vraie beauté.

TYBALT.

Celui-ci d'après sa voix doit être un Montaigue.
Ma rapière, garçon ! Comment, cet esclave ose
Venir ici couvert d'une grotesque face
Pour railler, insulter notre solennité ?
Par l'origine et l'honneur de ma race,
Le frapper à mort, je ne tiens pas cela pour un péché.

CAPULET.

Voyons, qu'est-ce qu'il y a, mon neveu,
Pourquoi tempêtez-vous comme ça ?

TYBALT.

Oncle, celui-là est un Montaigue notre ennemi :
Le misérable vient ici pour nous narguer
Se moquer de notre solennité de ce soir.

CAPULET.

N'est-ce pas le jeune Roméo ?

TYBALT.

C'est lui, l'infâme Roméo.

CAPULET.

Calmez-vous, gentil cousin, laissez-le tranquille,
Il se conduit comme un gentilhomme parfait ;
Et à dire le vrai, Vérone est fière de lui
Comme d'un vertueux jeune homme et bien élevé.
Je ne voudrais pas pour toutes les richesses de la ville
Qu'il lui fût fait offense en ma maison.
Soyez donc patient, n'y faites pas attention,
Telle est ma volonté ; si vous la respectez
Montrez belle mine et laissez ces airs menaçants,
Un aspect qui convient mal à notre fête.

85

TYBALT.
It fits when such a villain is a guest:
I'll not endure him.
    CAPULET.
                    He shall be endured.
What, goodman boy? I say he shall. Go to,
Am I the master here, or you? Go to,
You'll not endure him? God shall mend my soul!
You'll make a mutiny almong my guests!
You will set cock-a-hoop! You'll be the man!
    TYBALT.
Why, uncle, 'tis a shame.
    CAPULET.
                    Go to, go to,
80 You are a saucy boy. Is't so indeed?
This trick may chance to scathe you, I know what.
You must contrary me! Marry, 'tis time—
Well said, my hearts!—You are a princox: go,
Be quiet, or—More light, more light, for shame!—
I'll make you quiet.—What, cheerly, my hearts!
    TYBALT.
Patience perforce with wilful choler meeting
Makes my flesh tremble in their different greeting.
I will withdraw, but this intrusion shall,
Now seeming sweet, convert to bitterest gall.

                                                    [*goes.*

    ROMEO [*takes Juliet's hand*].
90 If I profane with my unworthiest hand
This holy shrine, the gentle pain is this:
My lips, two blushing pilgrims, ready stand
To smooth that rough touch with a tender kiss.
    JULIET.
Good pilgrim, you do wrong your hand too much,
Which mannerly devotion shows in this:
For saints have hands that pilgrims' hands do touch,
And palm to palm is holy palmer's kiss.

86

TYBALT.

Cela convient, quand un tel vilain est parmi les hôtes.
Je ne le supporterai pas.

CAPULET.

Cela sera supporté.
Quoi, petit jeune homme! Je le dis, moi. Allez.
Suis-je maître céans, ou vous? C'est bon, allez.
Vous ne le supporterez pas! Dieu sauve mon âme,
Vous allez faire l'émeute parmi mes invités!
Vous allez lâcher la bonde! Jouer au maître!

TYBALT.

Voyons, mon oncle, c'est une honte.

CAPULET.

Allez! Assez!
Vous êtes un insolent garçon, n'est-il pas vrai?
Cette histoire a bien des chances de vous nuire.
Je sais, vous avez besoin de me contrarier, c'est pardieu le
    moment! —
Bien dit, mes cœurs! — Vous êtes un freluquet.
Et tenez-vous tranquille, ou — Plus de lumière! —
Du diable! Je vous ferai bien rester tranquille. —
Allons, gaiement mes cœurs!

TYBALT.

La patience imposée, l'impérieuse colère
En se rencontrant dans mon cœur
Font trembler ma chair de leurs saluts contraires.
Je me retire, mais cette intrusion
Qui paraît douce encor deviendra fiel amer.

Il sort.

ROMÉO, *à Juliette.*

Si je profane avec ma main qui n'est point digne
Cette châsse bénie, c'est peine bien bénigne;
Mes lèvres ces rougissants pèlerins vont effacer
Le trop rude toucher par un tendre baiser.

JULIETTE.

Bon pèlerin [10], vous faites injustice à votre main
Car elle a montré dévotion courtoise;
Les saintes ont des mains qui touchent les pèlerins,
Paume sur paume, c'est le pieux baiser des pèlerins.

I, 5. 98

ROMEO.
Have not saints lips, and holy palmers too?
  JULIET.
Ay, pilgrim, lips that they must use in prayer.
  ROMEO.
100 O then, dear saint, let lips do what hands do,
They pray: grant thou, lest faith turn to despair.
  JULIET.
Saints do not move, though grant for prayers' sake.
  ROMEO.
Then move not, while my prayer's effect I take.
Thus from my lips by thine my sin is purged.

                                                    [*kissing her.*

  JULIET.
Then have my lips the sin that they have took.
  ROMEO.
Sin from my lips? O trespass sweetly urged!
Give me my sin again.

                                            [*kissing her again.*

  JULIET.
                            You kiss by th' book.
  NURSE.
Madam, your mother craves a word with you.
  ROMEO.
What is her mother?
  NURSE.
                            Marry, bachelor,
110 Her mother is the lady of the house,
And a good lady, and a wise and virtuous.

ROMÉO.
N'ont-elles pas des lèvres les saintes,
N'en ont-ils pas les pieux pèlerins ?
JULIETTE.
Oui des lèvres, pèlerin,
Dont elles usent pour la prière.

ROMÉO.
Alors ô chère sainte
Laisse les lèvres faire ce que font les mains ;
Elles prient, exauce-les, de crainte
Que leur foi ne tourne en profond chagrin.
JULIETTE.
Les saintes sont immobiles
Même en exauçant les prières.

ROMÉO.
Alors sois immobile
Tandis que je prendrai le fruit de mes prières.
Ainsi le péché de mes lèvres
Par tes lèvres est effacé.

Il l'embrasse [11].

JULIETTE.
Et mes lèvres ainsi ont reçu le péché.
ROMÉO.
Le péché de mes lèvres ?
O faute doucement reprochée au pécheur.
Rends-moi donc mon péché.

Il l'embrasse de nouveau.

JULIETTE.
Vous embrassez selon les plus belles manières.
LA NOURRICE.
Madame, votre mère voudrait bien vous parler.
ROMÉO.
Qui est sa mère ?
LA NOURRICE.
              Par Marie, mon jeune homme,
Sa mère est la maîtresse de la maison
Et une digne dame et sage et vertueuse ;

I, 5. 112

I nursed her daughter that you talked withal.
I tell you, he that can lay hold of her
Shall have the chinks.

ROMEO.

Is she a Capulet?
O dear account! My life is my foe's debt.

BENVOLIO.

Away be gone; the sport is at the best.

ROMEO.

Ay, so I fear; the more is my unrest.

CAPULET.

Nay, gentlemen, prepare not to be gone;
We have a trifling foolish banquet towards.

The masquers excuse themselves, whispering in his ear.

120 Is it e'en so? Why, then, I thank you all:
I thank you, honest gentlemen; good night.
More torches here; come on! then let's to bed.

Servants bring torches to escort the masquers out.

Ah, sirrah, by my fay, it waxes late:
I'll to my rest.

[*all leave but Juliet and Nurse.*

JULIET.

Come hither, nurse. What is yond gentleman?

NURSE.

The son and heir of old Tiberio.

JULIET.

What's he that now is going out of door?

NURSE.

Marry, that I think be young Petruchio.

JULIET.

What's he that follows there, that would not dance?

NURSE.

130 I know not.

JULIET.

Go ask his name.—If he be marriéd,
My grave is like to be my wedding bed.

NURSE.

His name is Romeo, and a Montague,

Moi j'ai nourri sa fille, que vous lui parliez,
Et je vous dis : celui qui s'en va l'épouser
Il aura les écus aussi.

ROMÉO.

C'est une Capulet?
Douloureuse créance,
Ma vie devient mon dû envers mon ennemi.

BENVOLIO.

Hé nous partons? Le jeu est à son comble.

ROMÉO.

J'en ai peur; le surplus est déjà mon malheur.

CAPULET.

Non, Messieurs, vous ne songez pas à partir,
Nous avons encore devant nous un méchant petit souper. —
C'est ainsi, vous partez? Alors je vous remercie tous.
Je vous remercie, mes honnêtes seigneurs.
Et bonne nuit. — Des torches, des torches par ici! —
Nous, allons nous coucher. Bondieu! il se fait tard.
Je vais dormir.

Tous sortent, sauf Juliette et la Nourrice.

JULIETTE.

Nourrice, viens ici. Quel est ce gentilhomme?

LA NOURRICE.

Le fils et héritier du vieux Tiberio.

JULIETTE.

Quel est celui-là qui maintenant passe la porte?

LA NOURRICE.

Par la sainte Vierge, je crois bien que celui-là, c'est le jeune
     Petruchio.

JULIETTE.

Et celui qui le suit
Et qui n'a pas voulu danser?

LA NOURRICE.

Ça, je ne sais pas.

JULIETTE.

Va, demande son nom. — S'il est marié
Mon tombeau, je le crains, sera mon lit de noces.

LA NOURRICE.

Son nom est Roméo, c'est un Montaigue

I, 5. 134

The only son of your great enemy.
    JULIET.
My only love sprung from my only hate!
Too early seen unknown, and known too late!
Prodigious birth of love it is to me,
That I must love a loathéd enemy.
    NURSE.
What's this, what's this?
    JULIET.
               A rhyme I learned even now
140 Of one I danced withal.

            'One calls within, "Juliet"'.

    NURSE.
            Anon, anon!
Come, let's away; the strangers all are gone.

                      [they go.

[II.]   Prologue

                  Enter Chorus.

CHORUS.
Now old desire doth in his deathbed lie,
   And young affection gapes to be his heir;
That fair for which love groaned for and would die,
   With tender Juliet matched, is now not fair.
Now Romeo is beloved and loves again,
   Alike bewitchéd by the charm of looks,
But to his foe supposed he must complain,
   And she steal love's sweet bait from fearful hooks:
Being held a foe, he may not have access
10   To breathe such vows as lovers use to swear;
And she as much in love, her means much less
   To meet her new belovéd anywhere:
But passion lends them power, time means, to meet,
Tempering extremities with extreme sweet.

                      [exit.

C'est le fils unique de votre grand ennemi.
  (JULIETTE.
O mon unique amour né de ma seule haine
Inconnu vu trop tôt, et reconnu trop tard!
Monstrueuse est pour moi la naissance d'amour,
Que je doive aimer mon ennemi détesté!
  LA NOURRICE.
Quoi, hé quoi?
  JULIETTE.
C'est un vers, qu'un de mes danseurs m'a récité.

                    'On appelle de l'intérieur : Juliette.'

  LA NOURRICE.
On y va, on y va. Venez, rentrons. Tous les invités sont
partis.

                                        Elles sortent.

[II.]   PROLOGUE

                              Entre LE CHŒUR.

L'ancien Désir est couché sur son lit de mort
L'Amour nouvelle est bouche bée pour hériter;
Et la beauté pour qui l'amour voulait mourir,
Comparée à Juliette elle n'est plus beauté.

Maintenant Roméo aimé aime à son tour
Tous deux sont enchantés par le charme des yeux,
Mais lui pâtit de son ennemie supposée,
Elle au dur hameçon saisit l'appât d'amour.

Son ennemi, il n'a point accès auprès d'elle
Pour soupirer les vœux que l'amour doit jurer;
Elle aussi amoureuse, elle peut moins encore
Rencontrer son nouvel amant où il lui plaît;

Mais Amour les soutient, le temps les fait se joindre
Tempérant de douceurs telles extrémités.

                                        Il sort.

                    93

[II, I.] Capulet's orchard; to the one side the outer wall with a lane beyond, to the other Capulet's house showing an upper window.

'Enter ROMEO *alone' in the lane.*

ROMEO.
Can I go forward when my heart is here?
Turn back, dull earth, and find thy centre out.

[he climbs the wall and leaps into the orchard.
'Enter Benvolio with Mercutio' in the lane. Romeo listens
behind the wall.

BENVOLIO.
Romeo, my cousin Romeo!
MERCUTIO.
He is wise,
And on my life hath stolen him home to bed.
BENVOLIO.
He ran this way and leapt this orchard wall.
Call, good Mercutio.
MERCUTIO.
Nay, I'll conjure too.
Romeo, humours, madman, passion, lover!
Appear thou in the likeness of a sigh;
Speak but one rhyme and I am satisfied:
10 Cry but 'Ay me!', pronounce but 'love' and 'dove';
Speak to my gossip Venus one fair word,
One nickname for her purblind son and heir,
Young Abraham Cupid, he that shot so trim
When King Cophetua loved the beggar maid.
He heareth not, he stirreth not, he moveth not;
The ape is dead, and I must conjure him.
I conjure thee by Rosaline's bright eyes,
By her high forehead and her scarlet lip,
By her fine foot, straight leg, and quivering thigh,
20 And the demesnes that there adjacent lie,
That in thy likeness thou appear to us.
BENVOLIO.
An if he hear thee, thou wilt anger him.

[II, I.] Un chemin près du mur du jardin de Capulet

'Entre R O M É O *, seul.'*

ROMÉO.

Pourrais-je aller plus loin quand mon cœur est ici ?
Lourde argile
Reviens donc en arrière et retrouve ton centre.

Il escalade le mur et disparaît à l'intérieur du jardin.
'Entrent Benvolio et Mercutio.'

BENVOLIO.
Roméo, mon cousin Roméo!

MERCUTIO.
                                    Il est sage,
Sur ma vie, il s'en est allé dans son lit.

BENVOLIO.
Il a couru, il a escaladé le mur du jardin.
Appelle-le, bon Mercutio.

MERCUTIO.
                              Je le conjurerai.
Roméo! caprice! passion! amoureux! fou!
Apparais sous l'aspect d'un souffle
Prononce à peine une rime et je serai satisfait;
Crie « hélas », ne dis qu' « amours » avec « toujours »;
Raconte à Vénus ma commère un beau mot
Un surnom pour son aveugle fils et héritier
Le rôdeur Cupidon [12] qui a si bien tiré
Quand le Roi Cophetua aima la fille mendiante!
Il n'entend pas, ne remue pas, ne bouge pas.
Ce drôle est mort, je dois le conjurer.
Je te conjure par les yeux brillants de Rosaline
Par son front haut, sa lèvre purpurine
Par son pied fin et par sa droite jambe
Sa cuisse frémissante et tous les beaux domaines adjacents,
Apparais à nous sous ton propre aspect!

BENVOLIO.
S'il t'a entendu, tu vas l'irriter.

II, I. 23

MERCUTIO.
This cannot anger him. 'Twould anger him
To raise a spirit in his mistress' circle
Of some strange nature, letting it there stand
Till she had laid it and conjured it down;
That were some spite. My invocation
Is fair and honest; in his mistress' name
I conjure only but to raise up him.
BENVOLIO.
30 Come! He hath hid himself among these trees
To be consorted with humorous night:
Blind is his love and best befits the dark.
MERCUTIO.
If love be blind, love cannot hit the mark.
Now will he sit under a medlar tree,
And wish his mistress were that kind of fruit
As maids call medlars when they laugh alone.
O Romeo, that she were, O that she were
An open-arse and thou a poperin pear!
Romeo, goodnight. I'll to my truckle-bed;
40 This field-bed is too cold for me to sleep.
Come, shall we go?
BENVOLIO.
                    Go then, for 'tis in vain
To seek him here that means not to be found.

                                        [*they go.*

[II, 2.]
ROMEO.
He jests at scars that never felt a wound.
                    Juliet appears aloft at the window.

MERCUTIO.

Ça ne peut l'irriter ; ce qui l'irriterait
Ce serait, dans le cercle de sa maîtresse, évoquer
Un esprit d'étrange nature, et le faire brandir
Jusqu'à ce qu'elle l'eût couché bas exorcisé,
Ce qui l'offenserait. Mais mon évocation
Est bonne, honnête, et par le nom de sa maîtresse
C'est lui seul que je conjure d'apparaître.

BENVOLIO.

Viens, il a dû se dérober parmi ces arbres
Pour être uni avec les humeurs de la nuit.
Aveugle est son amour, la noirceur lui convient.

MERCUTIO.

Si l'amour est aveugle, l'amour manque le but.
Tiens, il doit être assis sous un néflier,
Il désire que sa maîtresse
Soit cette espèce de fruit
Que les servantes nomment la nèfle
Quand elles plaisantent entre elles.
O Roméo si elle l'était, Roméo si elle l'était,
Nèfle ouverte et coetera, et toi une poire pointue !
Allons, bonne nuit Roméo,
Je vais dans mon lit à roulettes ;
Ce lit-de-champ est un peu froid pour y dormir.
Viens, nous partons ?

BENVOLIO.

                      Partons, car il est vain
De rechercher qui ne veut pas être trouvé.

Ils sortent.

[II, 2.]   Le jardin de Capulet

Entre ROMÉO.

ROMÉO.

Il rit des plaies, celui qui n'a jamais été blessé !
                 Juliette paraît à une fenêtre.

But soft! What light through yonder window breaks?
It is the east, and Juliet is the sun.
Arise, fair sun, and kill the envious moon,
Who is already sick and pale with grief
That thou, her maid, art far more fair than she.
Be not her maid, since she is envious.
Her vestal livery is but sick and green,
And none but fools do wear it: cast it off.
10 It is my lady, O it is my love;
O that she knew she were.
She speaks, yet she says nothing. What of that?
Her eye discourses: I will answer it.
I am too bold: 'tis not to me she speaks.
Two of the fairest stars in all the heaven,
Having some business, do entreat her eyes
To twinkle in their spheres till they return.
What if her eyes were there, they in her head?
The brightness of her cheek would shame those stars
20 As daylight doth a lamp; her eyes in heaven
Would through the airy region stream so bright
That birds would sing and think it were not night.
See how she leans her cheek upon her hand!
O that I were a glove upon that hand,
That I might touch that cheek.

    J U L I E T .

                         Ay me!

    (R O M E O .

                             She speaks.

O speak again, bright angel, for thou art
As glorious to this night, being o'er my head,
As is a wingéd messenger of heaven
Unto the white-upturnéd wondering eyes
30 Of mortals that fall back to gaze on him
When he bestrides the lazy-passing clouds
And sails upon the bosom of the air.

    J U L I E T .

O Romeo, Romeo! Wherefore art thou Romeo?
Deny thy father and refuse thy name:

Mais silence! quelle lumière éclate à la fenêtre?
C'est l'Orient et Juliette est le soleil!
Lève-toi clair soleil, et tue l'envieuse lune
Déjà malade et pâle de chagrin
De voir que sa servante est bien plus belle qu'elle.
Ne sois pas sa servante puisqu'elle est envieuse,
Sa robe de vestale n'est que malade et verte
Nul ne la porte que les folles, rejette-la.
Voici ma Dame! oh elle est mon amour!
Oh si elle savait qu'elle l'est!
Elle parle et pourtant ne dit rien, mais qu'importe,
Ses yeux font un discours et je veux leur répondre.
Je suis trop hardi, ce n'est pas à moi qu'elle parle:
Deux des plus belles étoiles dans tout le ciel
Ayant quelque affaire, ont supplié ses yeux
De briller dans leurs sphères
Jusqu'à ce qu'elles reviennent.
Que serait-ce si ses yeux étaient là-haut
Et les étoiles dans sa tête?
Car l'éclat de sa joue ferait honte aux étoiles
Comme le jour à une lampe, tandis que ses yeux au ciel
Répandraient à travers la région aérienne un si grand éclat
Que les oiseaux chanteraient croyant la nuit terminée.
Voyez, comme elle pose sur sa main sa joue!
Oh si j'étais le gant sur cette main
Que je puisse toucher cette joue!

JULIETTE.
                                    Ah!

(ROMÉO.
                              Elle a parlé:
Oh parle encor, lumineux ange! Car tu es
Aussi glorieuse à cette nuit, te tenant par-dessus ma tête,
Que pourrait l'être un messager ailé du ciel
Aux yeux retournés blancs d'émerveillement
Des mortels, qui se renversent pour le voir,
Quand il enjambe les nuages paresseux
Quand il glisse sur la poitrine de l'air.

JULIETTE.
O Roméo, Roméo! Pourquoi es-tu Roméo?
Renie ton père, refuse ton nom;

    Or, if thou wilt not, be but sworn my love,
And I'll no longer be a Capulet.
    (ROMEO.
Shall I hear more, or shall I speak at this?
    JULIET.
'Tis but thy name that is my enemy.
Thou art thyself, though not a Montague.
40 O be some other name! What's Montague?
It is nor hand, nor foot, nor arm, nor face,
Nor any part belonging to a man.
What's in a name? That which we call a rose
By any other name would smell as sweet.
So Romeo would, were he not Romeo called,
Retain that dear perfection which he owes,
Without that title. Romeo, doff thy name;
And for thy name, which is no part of thee,
Take all myself.
    ROMEO.
                I take thee at thy word.
50 Call me but love, and I'll be new baptized;
Henceforth I never will be Romeo.
    JULIET.
What man art thou that, thus bescreened in night,
So stumblest on my counsel?
    ROMEO.
                  By a name
I know not how to tell thee who I am.
My name, dear saint, is hateful to myself
Because it is an enemy to thee.
Had I it written, I would tear the word.
    JULIET.
My ears have yet not drunk a hundred words
Of thy tongue's uttering, yet I know the sound.
60 Art thou not Romeo, and a Montague?
    ROMEO.
Neither, fair maid, if either thee dislike.
    JULIET.
How camest thou hither, tell me, and wherefore?

Ou si tu ne le fais, sois mon amour juré
Et moi je ne serai plus une Capulet.
（ROMÉO.
L'écouterai-je encore
Ou vais-je lui parler ?
　　JULIETTE.
C'est seulement ton nom qui est mon ennemi.
Tu es toi-même, tu n'es pas un Montaigue.
Qu'est-ce un Montaigue ? Ce n'est ni pied ni main
Ni bras ni visage, ni aucune partie
Du corps d'un homme. Oh sois un autre nom!
Qu'y a-t-il en un nom ? Ce que nous nommons rose
Sous un tout autre nom sentirait aussi bon;
Et ainsi Roméo, s'il ne s'appelait pas
Roméo, garderait cette chère perfection
Qu'il possède sans titre. Oh retire ton nom,
Et pour ton nom qui n'est aucune partie de toi
Prends-moi tout entière!
　　ROMÉO.
　　　　　　　　Je te prends au mot :
Ne m'appelle plus qu'amour et je serai rebaptisé;
Dorénavant je ne serai plus jamais Roméo.
　　JULIETTE.
Quel homme es-tu, toi caché par la nuit
Qui trébuches dans mon secret ?
　　ROMÉO.
　　　　　　　　　Par aucun nom
Je ne sais comment te dire qui je suis.
Mon nom ô chère sainte est en haine à moi-même
Puisqu'il est ton ennemi.
Et si je l'avais écrit j'aurais déchiré le mot.
　　JULIETTE.
Mes oreilles n'ont pas bu cent paroles encore
De cette bouche, mais j'en reconnais le son :
N'es-tu pas Roméo ? n'es-tu pas un Montaigue ?
　　ROMÉO.
Ni l'un ni l'autre, ô belle jeune fille,
S'ils te déplaisent l'un et l'autre.
　　JULIETTE.
Comment es-tu venu, dis-moi, et pourquoi ?

The orchard walls are high and hard to climb,
And the place death, considering who thou art,
If any of my kinsmen find thee here.

ROMEO.

With love's light wings did I o'erperch these walls;
For stony limits cannot hold love out,
And what love can do, that dares love attempt:
Therefore thy kinsmen are no stop to me.

JULIET.

70 If they do see thee, they will murther thee.

ROMEO.

Alack, there lies more peril in thine eye
Than twenty of their swords. Look thou but sweet,
And I am proof against their enmity.

JULIET.

I would not for the world they saw thee here.

ROMEO.

I have night's cloak to hide me from their eyes;
And but thou love me, let them find me here:
My life were better ended by their hate
Than death prorogued, wanting of thy love.

JULIET.

By whose direction foundst thou out this place?

ROMEO.

80 By love, that first did prompt me to enquire.
He lent me counsel, and I lent him eyes.
I am no pilot; yet, wert thou as far
As that vast shore washed with the farthest sea,
I should adventure for such merchandise.

JULIET.

Thou knowest the mask of night is on my face;
Else would a maiden blush bepaint my cheek,
For that which thou hast heard me speak tonight.
Fain would I dwell on form; fain, fain deny
What I have spoke: but farewell compliment!

Les murs du jardin sont hauts, durs à franchir,
Et ce lieu est la mort, vu celui que tu es,
Si l'un de mes parents ici te voit.

ROMÉO.

Sur les ailes légères d'amour j'ai passé ces murs
Car les limites de pierre ne retiennent pas l'amour.
Ce que peut faire amour, amour ose le tenter.
Ainsi tes parents ne pourraient m'arrêter.

JULIETTE.

S'ils te voient, ils te tueront.

ROMÉO.

Hélas il est dans tes yeux plus de péril
Que dans vingt de leurs épées;
Regarde seulement avec douceur
Et je suis à l'abri de leur inimitié.

JULIETTE.

Pour le monde entier
Je ne voudrais pas qu'ils te voient!

ROMÉO.

J'ai le manteau de la nuit
Pour me dérober à leurs yeux.
Et à moins que tu ne m'aimes, qu'ils me voient!
Mieux vaudrait ma vie terminée par leur haine
Qu'attendant ton amour, ma mort retardée.

JULIETTE.

Mais guidé par qui as-tu trouvé ce lieu ?

ROMÉO.

Par l'amour, qui m'a conduit à demander;
Il me donna conseil, je lui donnai mes yeux.
Je ne suis pas pilote, et pourtant serais-tu
Aussi loin que la côte aride de la mer la plus lointaine,
Je me serais aventuré pour une si belle marchandise.

JULIETTE.

Tu sais, le masque de la nuit couvre mon visage,
Sinon une rougeur de vierge
Aurait coloré mes joues
Pour ce que tu m'as entendu dire cette nuit.
Ah si je pouvais demeurer dans les bons usages,
Si je pouvais, si je pouvais
Effacer tout ce que j'ai dit.

90 Dost thou love me? I know thou wilt say 'Ay',
And I will take thy word. Yet, if thou swearst,
Thou mayst prove false. At lovers' perjuries
They say Jove laughs. O gentle Romeo,
If thou dost love, pronounce it faithfully.
Or, if thou think'st I am too quickly won,
I'll frown and be perverse and say thee nay,
So thou wilt woo; but else, not for the world.
In truth, fair Montague, I am too fond,
And therefore thou mayst think my haviour light;
100 But trust me, gentleman, I'll prove more true
Than those that have more cunning to be strange.
I should have been more strange, I must confess,
But that thou overheardst, ere I was ware,
My true-love passion. Therefore pardon me,
And not impute this yielding to light love,
Which the dark night hath so discoveréd.
ROMEO.
Lady, by yonder blesséd moon I vow,
That tips with silver all these fruit tree tops—
JULIET.
O swear not by the moon, th'inconstant moon,
110 That monthly changes in her circled orb,
Lest that thy love prove likewise variable.
ROMEO.
What shall I swear by?
JULIET.
                    Do not swear at all:
Or, if thou wilt, swear by thy gracious self,
Which is the god of my idolatry,
And I'll believe thee.
ROMEO.
                    If my heart's dear love—
JULIET.
Well, do not swear. Although I joy in thee,
I have no joy of this contract to-night:
It is too rash, too unadvised, too sudden,

Mais non, adieu adieu cérémonie!
M'aimes-tu? Je sais que tu répondras « oui »,
Je croirai ta parole, et pourtant si tu jures
Tu peux te montrer faux, des parjures d'amants
On dit que Jupiter sourit. Doux Roméo
Si tu aimes, proclame-le sincèrement;
Ou si tu penses que trop vite je suis conquise
Je serai sévère et méchante, je dirai non
Pour que tu me fasses ta cour;
Mais autrement, pour rien au monde!
En vérité, ô beau Montaigue, j'ai trop d'amour,
C'est pourquoi tu peux penser ma conduite bien légère;
Mais crois-moi, noble jeune homme,
Je me montrerai plus fidèle
Que celles qui ont plus d'adresse à demeurer réservées.
Je l'avoue, je devais être plus réservée;
Mais voici que tu as surpris, avant que je fusse prévenue,
Ma vraie passion d'amour, aussi pardonne-moi
Et n'impute pas à la légèreté mon abandon
Que cette sombre nuit t'a révélé.
    R O M É O .
O ma Dame, par la lune sacrée je jure,
Qui touche d'argent clair tous ces arbres fruitiers —
    J U L I E T T E .
Oh ne jure pas par la lune, l'inconstante lune
Qui change chaque mois en son orbite ronde,
De peur que ton amour ne se montre comme elle changeant.
    R O M É O .
Par quoi faut-il jurer?
    J U L I E T T E .
                    Ne jure pas du tout
Ou jure si tu veux par ton gracieux Toi-même
Qui est le dieu de mon idolâtrie,
Je te croirai.
    R O M É O .
            Si le cher amour de mon cœur —
    J U L I E T T E .
Non, non, ne jure pas. Bien qu'en toi soit ma joie,
Le serment cette nuit ne me fait nulle joie;
Il est trop prompt, trop irréfléchi, trop soudain

Too like the lightning, which doth cease to be
120 Ere one can say 'It lightens'.   Sweet, goodnight:
This bud of love, by summer's ripening breath,
May prove a beauteous flower when next we meet.
Goodnight, goodnight!   As sweet repose and rest
Come to thy heart as that within my breast.

ROMEO.
O wilt thou leave me so unsatisfied?

JULIET.
What satisfaction canst thou have to-night?

ROMEO.
Th'exchange of thy love's faithful vow for mine.

JULIET.
I gave thee mine before thou didst request it:
And yet I would it were to give again.

ROMEO.
130 Would'st thou withdraw it?   For what purpose, love?

JULIET.
But to be frank and give it thee again:
And yet I wish but for the thing I have.
My bounty is as boundless as the sea,
My love as deep: the more I give to thee,
The more I have: for both are infinite.
I hear some noise within.   Dear love, adieu—

[*Nurse calls within.*

Anon, good nurse!—sweet Montague, be true.
Stay but a little; I will come again.

[*Juliet goes in.*

ROMEO.
O blessed, blessed night!   I am afeared,
140 Being in night, all this is but a dream,
Too flattering sweet to be substantial.

Juliet reappears at the window.

JULIET.
Three words, dear Romeo, and good night indeed.

Trop pareil à l'éclair
Qui cesse d'être avant qu'on ait dit « il éclaire ».
Doux cœur, oh bonne nuit!
Au souffle mûrissant d'été ce bourgeon d'amour
Pourra se montrer fleur quand nous nous reverrons.
Qu'un aussi doux et calme repos vienne en ton cœur
Que ce doux et calme repos qui est dans mon sein.

R O M É O .

Oh vas-tu me laisser partir mal satisfait?

J U L I E T T E .

Quelle satisfaction peux-tu avoir cette nuit?

R O M É O .

L'échange de ton vœu de fidèle amour et de mon vœu.

J U L I E T T E .

Avant que tu l'aies demandé je te l'ai donné
Et je voudrais encore avoir à le donner.

R O M É O .

Tu voudrais le reprendre, oh pourquoi bien-aimée?

J U L I E T T E .

Pour être généreuse, et te le redonner!
J'aspire seulement à la chose que j'ai,
Ma bonté est aussi sans bornes que la mer,
Mon amour est aussi profond;
Oui plus je donne plus je possède,
L'un et l'autre sont infinis.

La Nourrice appelle.

J'ai entendu du bruit; mon cher amour, adieu! —
Je viens, bonne Nourrice. — Doux Montaigue sois fidèle,
Demeure encore un peu, je reviendrai.

Elle sort.

R O M É O .

Oh nuit bénie, bénie! J'ai peur car c'est la nuit
Que tout ne soit que rêve
Trop délicieusement flatteur pour être vrai.

Juliette reparaît à la fenêtre.

J U L I E T T E .

Trois mots, cher Roméo, et bonne nuit cette fois!

II, 2. 143

If that thy bent of love be honourable,
Thy purpose marriage, send me word tomorrow,
By one that I'll procure to come to thee,
Where and what time thou wilt perform the rite;
And all my fortunes at thy foot I'll lay,
And follow thee my lord throughout the world.
    N U R S E [*within*].
Madam!
150 I come, anon.—But if thou meanest not well,
I do beseech thee—
    N U R S E [*within*].
                    Madam!
    J U L I E T .
                    By and by I come—
To cease thy suit, and leave me to my grief.
Tomorrow will I send.
    R O M E O .
So thrive my soul—
    J U L I E T .
                A thousand times good night!

                      [*she goes in.*

    R O M E O .
A thousand times the worse, to want thy light!
Love goes toward love as schoolboys from their books,
But love from love, toward school with heavy looks.

                Juliet returns to the window.

    J U L I E T .
Hist, Romeo, hist! O for a falconer's voice
To lure this tassel-gentle back again!
160 Bondage is hoarse and may not speak aloud,
Else would I tear the cave where Echo lies,
And make her airy tongue more hoarse than mine
With repetition of my "Romeo!"

ROMÉO ET JULIETTE

Si ton penchant d'amour est honorable
Si tu te proposes mariage, envoie demain
Un mot par la personne que je t'adresserai
Disant où et à quelle heure tu veux accomplir le rite,
Et toutes mes destinées je les déposerai à tes pieds,
Et te suivrai toi mon seigneur à travers le monde.

LA NOURRICE, *de l'intérieur.*
Madame!

JULIETTE.
Je viens, je viens. — Mais si ta pensée n'est pas pure
Je te conjure —

LA NOURRICE, *de l'intérieur.*
                    Madame!

JULIETTE.
                              Tout de suite, je viens... —
De cesser ta poursuite et de laisser mon cœur
A son chagrin. Demain j'envoie quelqu'un.

ROMÉO.
Tant que vivra mon âme —

JULIETTE.
                              Et mille fois bonne nuit!

Elle sort.

ROMÉO.
Nuit mille fois assombrie de perdre ta lumière!
Amour court vers l'amour
Ainsi l'écolier fuyant loin de ses livres,
Amour quitte l'amour
Comme il va vers l'école avec un regard lourd.

Juliette reparaît à la fenêtre.

JULIETTE.
Stt! Stt! Roméo! O voix du fauconnier
T'avoir pour rappeler ce noble tiercelet!
La captivité est enrouée et ne peut parler haut
Sinon je forcerais la grotte où dort Écho
Et sa voix aérienne
Je la rendrais plus enrouée encor que la mienne,
A répéter le nom de mon Roméo.

II, 2. 164

ROMEO.
It is my soul that calls upon my name.
How silver-sweet sound lovers' tongues by night,
Like softest music to attending ears!
JULIET.
Romeo!
ROMEO.
My niëss!
JULIET.
What o'clock tomorrow
Shall I send to thee?
ROMEO.
By the hour of nine.
JULIET.
I will not fail. 'Tis twenty year till then.
170 I have forgot why I did call thee back.
ROMEO.
Let me stand here till thou remember it.
JULIET.
I shall forget, to have thee still stand there,
Rememb'ring how I love thy company.
ROMEO.
And I'll still stay, to have thee still forget,
Forgetting any other home but this.
JULIET.
'Tis almost morning. I would have thee gone,
And yet no farther than a wanton's bird,
That lets it hop a little from her hand,
Like a poor prisoner in his twisted gyves,
180 And with a silk thread plucks it back again,
So loving-jealous of his liberty.
ROMEO.
I would I were thy bird.
JULIET
Sweet, so would I;
Yet I should kill thee with much cherishing.
Goodnight, goodnight! Parting is such sweet sorrow,
That I shall say goodnight till it be morrow.

ROMÉO.

C'est mon âme qui m'appelle par mon nom.
Quel doux son d'argent dans la nuit fait la langue des amants
Comme la musique la plus belle que l'oreille puisse écouter!

JULIETTE.

Roméo!

ROMÉO.

     Petit faucon ? [13]

JULIETTE.

                    A quelle heure demain
T''envoyer le messager ?

ROMÉO.

                 A la neuvième heure.

JULIETTE.

Je n'y manquerai pas. Ce me semble vingt ans
Jusque-là. J'ai oublié pourquoi je te rappelais.

ROMÉO.

Laisse-moi demeurer ici
Jusqu'à ce que tu t'en souviennes.

JULIETTE.

Je l'oublierai, c'est pour t'avoir ici toujours,
Me souvenant que j'aime tant ta compagnie.

ROMÉO.

Et moi je resterai, afin que toujours tu l'oublies,
Moi-même oubliant toute autre demeure que celle-ci.

JULIETTE.

C'est bientôt l'aube; je voudrais que tu fusses loin
Mais pas plus loin
Que l'oiseau tenu par un fripon d'enfant;
Il le fait sautiller un peu hors de sa main,
Le pauvre prisonnier dans ses liens enroulés,
Et le ramène à lui avec un fil de soie
Tant il est jaloux amoureux de sa liberté.

ROMÉO.

Que ne suis-je ton oiseau.

JULIETTE.

                Mon doux cœur que ne l'es-tu.
Il est vrai que je te tuerais par trop de caresses.
Bonne nuit! Séparation est un si doux chagrin
Que je vais dire bonne nuit jusqu'à demain.   *Elle sort.*

II, 2. 186

ROMEO.
Sleep dwell upon thine eyes, peace in thy breast!

[she goes in.

Would I were sleep and peace, so sweet to rest!
Hence will I to my ghostly sire's close cell,
His help to crave, and my dear hap to tell.

[he goes.

[II, 3.]   Friar Lawrence's cell

'Enter FRIAR *alone with a basket'.*

FRIAR.
The grey-eyed morn smiles on the frowning night,
Check'ring the eastern clouds with streaks of light:
And darkness flecked like a drunkard reels
From forth day's pathway, made by Titan's wheels:
Now ere the sun advance his burning eye,
The day to cheer and night's dank dew to dry,
I must upfill this osier cage of ours,
With baleful weeds and precious-juicéd flowers.
The earth that's nature's mother is her tomb;
10 What is her burying grave, that is her womb;
And from her womb children of divers kind
We sucking on her natural bosom find:
Many for many virtues excellent,
None but for some, and yet all different.
O mickle is the powerful grace that lies
In plants, herbs, stones, and their true qualities:
For nought so vile that on the earth doth live
But to the earth some special good doth give:
Nor aught so good but, strained from that fair use,
20 Revolts from true birth, stumbling on abuse.
Virtue itself turns vice, being misapplied,
And vice sometime by action dignified.

Romeo approaches, unseen by the Friar.

Within the infant rind of this weak flower
Poison hath residence, and medicine power:
For this, being smelt, with that part cheers each part;
Being tasted, stays all senses with the heart.

ROMÉO.

Que le sommeil descende sur tes yeux, paix en ta poitrine.
Que ne suis-je sommeil et paix, pour si doucement reposer !
D'ici je vais à la cellule de mon père spirituel
Pour demander son secours et lui dire mon bonheur.

Il sort.

[II, 3.]   La cellule de Frère Laurent

'*Entre* FRÈRE LAURENT *seul, portant un panier*'.

FRÈRE LAURENT.

Le matin avec son œil gris sourit à la nuit sourcilleuse
Bariolant de rais lumineux les nuages à l'orient,
Et les ténèbres empourprées sont chancelantes comme l'ivrogne
Hors du sentier du jour tracé par les roues du Titan :
Mais avant que le soleil ait avancé son œil brûlant pour égayer
    le jour et sécher la moite rosée,
Je dois emplir notre panier d'osier
Avec les herbes pernicieuses et les fleurs au suc précieux.
La terre qui est la mère de la nature, c'est sa tombe
Et ce qui est son cercueil est aussi sa matrice profonde ;
Des enfants de toute espèce enfantés par sa matrice
Nous les voyons sucer à son sein maternel,
Beaucoup par beaucoup de vertus excellents,
Nul n'en étant privé, et tous bien différents.
Oh grande est la grâce puissante qui se tient
Dans les herbes, les plantes, les pierres et leurs réelles qualités ;
Car rien n'est si vil, existant sur la terre
Qui n'apporte à la terre [14] quelque spécial bienfait,
Rien n'est si bon qui détourné de l'usage vrai
Ne se révolte contre sa naissance et ne trouve l'abus ;
La vertu même mal employée devient un vice
Et parfois dans l'action le vice est racheté.
Sous l'écorce enfant de cette petite fleur
La médecine a sa puissance et le poison a sa demeure ;
Car étant aspirée, par cette seule partie elle donne à toutes
    parties réjouissance
Mais goûtée elle suspend le cœur et tous les sens.

II, 3. 27

Two such opposéd kings encamp them still
In man as well as herbs—grace and rude will:
And where the worser is predominant,
30 Full soon the canker death eats up that plant.
 R O M E O .
Goodmorrow, father.
 F R I A R .
     Benedicite!
What early tongue so sweet saluteth me?
Young son, it argues a distempered head,
So soon to bid goodmorrow to thy bed.
Care keeps his watch in every old man's eye,
And where care lodges sleep will never lie:
But where unbruiséd youth with unstuffed brain
Doth couch his limbs, there golden sleep doth reign.
Therefore thy earliness doth me assure
40 Thou art uproused with some distemperature:
Or if not so, then here I hit it right—
Our Romeo hath not been in bed tonight.
 R O M E O .
That last is true—the sweeter rest was mine.
 F R I A R .
God pardon sin! Wast thou with Rosaline?
 R O M E O .
With Rosaline? My ghostly father, no;
I have forgot that name, and that name's woe.
 F R I A R .
That's my good son! But where hast thou been then?
 R O M E O .
I'll tell thee ere thou ask it me again.
I have been feasting with mine enemy,
50 Where on a sudden one hath wounded me
That's by me wounded. Both our remedies
Within thy help and holy physic lies.
I bear no hatred, blessed man, for lo,
My intercession likewise steads my foe.

ROMÉO ET JULIETTE

Ainsi deux rois ennemis
Dans la plante et dans l'homme ont établi leur camp :
C'est la grâce et c'est la volonté rebelle,
Et là où le plus mauvais est prédominant
Aussitôt vient et ronge le ver de la mort.

Entre Roméo.

ROMÉO.
Bonjour, mon père.
 FRÈRE LAURENT.
    Benedicite!
Quelle voix douce me salue de si bonne heure ?
Jeune fils, cela montre une tête troublée
Dire adieu à son lit si matinalement.
Le souci dans l'œil de chaque vieillard monte la garde
Et là où loge le souci jamais ne couche le sommeil;
Mais là où la jeunesse encor non meurtrie, au cerveau non
  rempli de choses,
Étend ses membres, là doit régner le sommeil d'or.
C'est pourquoi te voir si tôt m'assure
Que tu es réveillé par quelque inquiétude.
Ou si cela n'est pas, je touche cette fois juste,
Notre Roméo ne s'est pas couché cette nuit.
 ROMÉO.
C'est vrai. Mais mon repos n'en était que plus doux.
 FRÈRE LAURENT.
Dieu pardonne le péché! étais-tu avec Rosaline ?
 ROMÉO.
Avec Rosaline, ô mon saint père ? Non.
J'ai oublié ce nom et les peines de ce nom.
 FRÈRE LAURENT.
Voilà bien mon bon fils! Où étais-tu alors ?
 ROMÉO.
Avant que vous le redemandiez je vous le dirai.
Cette nuit j'ai festoyé chez mon ennemi
Et soudain quelqu'un m'a blessé
Qui par moi fut aussi blessé; le remède pour nous deux
Dépend de vous et de votre médecine sacrée;
Je n'ai plus de haine, ô saint homme, car voici,
Mon intercession près de vous sert aussi mon ennemi.

II, 3. 55

FRIAR.
Be plain, good son, and homely in thy drift.
Riddling confession finds but riddling shrift.
    ROMEO.
Then plainly know my heart's dear love is set
On the fair daughter of rich Capulet:
As mine on hers, so hers is set on mine,
60 And all combined save what thou must combine
By holy marriage: when and where and how
We met, we wooed, and made exchange of vow
I'll tell thee as we pass; but this I pray,
That thou consent to marry us today.
    FRIAR.
Holy Saint Francis, what a change is here!
Is Rosaline, that thou didst love so dear,
So soon forsaken? Young men's love then lies
Not truly in their hearts but in their eyes.
Jesu Maria, what a deal of brine
70 Hath washed thy sallow cheeks for Rosaline!
How much salt water thrown away in waste
To season love, that of it doth not taste!
The sun not yet thy sighs from heaven clears,
Thy old groans ring yet in mine ancient ears;
Lo, here upon thy cheek the stain doth sit
Of an old tear that is not washed off yet.
If e'er thou wast thyself, and these woes thine,
Thou and these woes were all for Rosaline.
And art thou changed? Pronounce this sentence, then—
80 Women may fall, when there's no strength in men.
    ROMEO.
Thou chid'st me oft for loving Rosaline.
    FRIAR.
For doting, not for loving, pupil mine.
    ROMEO.
And bad'st me bury love.

116

FRÈRE LAURENT.

Sois clair ô mon bon fils, et simple en ton récit;
Une confession qui se dissimule
Ne reçoit qu'un semblant d'absolution.

ROMÉO.

Alors sachez clairement que le cher amour de mon cœur
S'est porté sur la fille du riche Capulet;
Et comme le mien est sur elle, le sien est aussi sur moi.
Et tout est conclu, sauf ce que vous pouvez conclure
Par le saint mariage. Où et quand et comment
Nous nous sommes rencontrés, nous nous sommes connus
Et nous avons échangé nos serments,
Je vous le raconterai chemin faisant, mais je vous prie,
Consentez à nous marier aujourd'hui.

FRÈRE LAURENT.

Grand saint François! quel changement est-ce là!
Et Rosaline que si tendrement tu aimas,
Si vite abandonnée? L'amour des jeunes gens en vérité
N'est pas dans leur cœur mais plutôt dans leurs yeux.
Jésus Maria, quelle saumure de larmes
A lavé tes joues blêmies pour Rosaline!
Ah oui, combien d'eau salée versée en vain
Pour assaisonner l'amour qui n'en garde point le goût!
Le soleil n'a pas nettoyé le ciel de tes soupirs,
Tes anciens gémissements retentissent encore à mes vieilles
    oreilles;
Mais regarde, sur ta joue on voit la tache encore
D'une vieille larme qui n'est point lavée.
Si tu étais alors toi-même et si ces peines étaient les
    tiennes
Toi et ces peines, tout était pour Rosaline.
Et te voilà changé? Prononce la sentence :
Les femmes peuvent tomber, si les hommes n'ont point de
    force.

ROMÉO.

Mais vous m'avez souvent blâmé d'aimer Rosaline.

FRÈRE LAURENT.

D'extravaguer, non pas d'aimer, mon cher enfant.

ROMÉO.

Vous m'avez ordonné d'enterrer cet amour.

II, 3. 83

FRIAR.

Not in a grave
To lay one in, another out to have.
        ROMEO.
I pray thee chide me not. Her I love now
Doth grace for grace and love for love allow:
The other did not so.
        FRIAR.

O, she knew well
Thy love did read by rote, that could not spell.
But come, young waverer, come go with me;
90 In one respect I'll thy assistant be:
For this alliance may so happy prove
To turn your households' rancour to pure love.
        ROMEO.
O let us hence!   I stand on sudden haste.
        FRIAR.
Wisely and slow.   They stumble that run fast.

[they go.

[II, 4.]   A public place

'*Enter* BENVOLIO *and* MERCUTIO'.

        MERCUTIO.
Where the devil should this Romeo be?
Came he not home tonight?
        BENVOLIO.
Not to his father's; I spoke with his man.
        MERCUTIO.
Why, that same pale hard-hearted wench, that Rosaline,
Torments him so, that he will sure run mad.
        BENVOLIO.
Tybalt, the kinsman to old Capulet,
Hath sent a letter to his father's house.
        MERCUTIO.
A challenge, on my life.

FRÈRE LAURENT.
Mais pas dans un tombeau
Où l'on couche un amour pour en sortir un autre.
    ROMÉO.
Je vous supplie ne me grondez pas : celle que j'aime
Me rend grâce pour grâce et amour pour amour;
L'autre ne faisait pas ainsi.
    FRÈRE LAURENT.
                        Elle savait bien
Que ton amour au lieu d'épeler lisait par cœur.
Mais viens, jeune inconstant, allons, viens avec moi.
J'ai certaines raisons de te donner mon aide;
Car cette alliance pourrait se montrer assez heureuse
Pour changer la haine de vos deux maisons en un pur amour.
    ROMÉO.
Oh partons, car il importe d'agir vite.
    FRÈRE LAURENT.
Sagement et doucement; on tombe, allant trop vite.

Ils sortent.

[II, 4.]   Une rue

'Entrent BENVOLIO *et* MERCUTIO*'.*

    MERCUTIO.
Où diable est-il ce Roméo ? Il n'est pas rentré chez lui cette
nuit ?
    BENVOLIO.
Non, pas chez son père. J'ai parlé à son valet.
    MERCUTIO.
Ah cette même fille pâle au cœur dur, cette Rosaline
Le tourmente, au point qu'il va sûrement tomber fou.
    BENVOLIO.
Tybalt, le parent du vieux Capulet, lui a envoyé une lettre à
la maison de son père.
    MERCUTIO.
C'est un défi, sur ma vie.

BENVOLIO.
Romeo will answer it.
MERCUTIO.
10 Any man that can write may answer a letter.
BENVOLIO.
Nay, he will answer the letter's master, how he dares being
dared.
MERCUTIO.
Alas, poor Romeo, he is already dead—stabbed with a
white wench's black eye, run through the ear with a love-
song, the very pin of his heart cleft with the blind bow-
boy's butt-shaft; and is he a man to encounter Tybalt?
BENVOLIO.
Why, what is Tybalt?
MERCUTIO.
More than Prince of Cats. O, he's the courageous captain
of compliments. He fights as you sing pricksong—
20 keeps time, distance, and proportion; he rests his minim
rests—one, two, and the third in your bosom. The very
butcher of a silk button, a duellist, a duellist, a gentleman
of the very first house, of the first and second cause! Ah,
the immortal passado, the punto reverso, the hai!
BENVOLIO.
The what?
MERCUTIO.
The pox of such antic, lisping, affecting fantasticoes, these
new tuners of accent! 'By Jesu, a very good blade!
a very tall man! a very good whore!' Why, is not this
a lamentable thing, grandsire, that we should be thus
30 afflicted with these strange flies, these fashion-mongers,
these pardon-me's, who stand so much on the new form
that they cannot sit at ease on the old bench? O, their
bones, their bones!

'Enter Romeo'.

BENVOLIO.
Here comes Romeo, here comes Romeo!

BENVOLIO.
Roméo répondra.

MERCUTIO.
Tout homme sachant écrire peut répondre à une lettre.

BENVOLIO.
Non, il répondra à l'auteur de la lettre — comment il défie quand on le défie.

MERCUTIO.
Hélas, pauvre Roméo, il est déjà mort. Poignardé par l'œil noir d'une blanche donzelle. Transpercé à l'oreille par un chant d'amour. Touché à la cible de son cœur par la flèche non barbelée de l'enfant aveugle. Est-ce un homme à affronter Tybalt ?

BENVOLIO.
Qu'est-ce donc, ce Tybalt ?

MERCUTIO.
Plus que Tybaut [15] le Prince des Chats, je vous l'assure. C'est le brillant maître des cérémonies. Il se bat comme vous chantez un air d'après les notes. Il garde la mesure, les intervalles, la proportion. Il vous donne une demi-pause et puis, un, deux, le troisième est dans votre poitrine. Un vrai massacreur de boutons de soie. Un duelliste, mon cher, un duelliste! Un gentilhomme de la plus fine fleur de duel dans toutes les causes de premier ou de second ordre. Ah l'immortel passado! Le punto reverso! Le haï [16]!

BENVOLIO.
Le quoi ?

MERCUTIO.
La peste soit de ces grotesques zézayants qui posent à l'excentricité, de ces accordeurs du bon ton! « Par Jésus, voilà une fine lame! un homme du dernier vaillant! une excellente putain! » Allons, n'est-ce pas lamentable, mon digne seigneur, que nous soyons ainsi affligés de ces mouches étrangères, de ces gens à lancer des modes, de ces *pardonnez-moi*, qui sont si bien à cheval sur le nouveau dada qu'ils ne peuvent plus s'asseoir sur nos vieux bancs ? Oh leurs pauvres os!

'*Entre Roméo.*'

BENVOLIO.
Voici Roméo, voici Roméo.

II, 4. 35

MERCUTIO.
Without his roe, like a dried herring. O flesh, flesh, how
art thou fishified! Now is he for the numbers that Petrarch
flowed in. Laura to his lady was a kitchen wench—marry,
she had a better love to be-rhyme her!—Dido a dowdy,
Cleopatra a gipsy, Helen and Hero hildings and harlots,
40 Thisbe a gray eye or so, but not to the purpose. Signior
Romeo, bon jour! There's a French salutation to your
French slop. You gave us the counterfeit fairly last night.
ROMEO.
Goodmorrow to you both. What counterfeit did I give
you?
MERCUTIO.
The slip, sir, the slip. Can you not conceive?
ROMEO.
Pardon, good Mercutio. My business was great, and in
such a case as mine a man may strain courtesy.
MERCUTIO.
That's as much as to say, such a case as yours constrains
a man to bow in the hams.
ROMEO.
50 Meaning to curtsy?
MERCUTIO.
Thou hast most kindly hit it.
ROMEO.
A most courteous exposition.
MERCUTIO.
Nay, I am the very pink of courtesy.
ROMEO.
Pink for flower?
MERCUTIO.
Right.
ROMEO.
Why, then is my pump well flowered.
MERCUTIO.
Sure wit! Follow me this jest now till thou hast worn out

MERCUTIO.

Roméo sans son frai, sec comme un hareng! O chair, ô chair, comme te voilà poissonnifiée! Maintenant il est emballé pour les rimes de Pétrarque : Laure, auprès de sa dame, n'est qu'une fille de cuisine (par la Vierge! elle avait aussi un meilleur amant pour la mettre en poésie); Didon, une dinde; Cléopâtre, une bohémienne; Hélène et Héro, des torchons et des putains; Thisbé, un œil gris ou quelque chose comme ça, sans aucun intérêt. Signor Roméo, *bon jour.* Voilà un salut français pour vos culottes à la française. Vous nous avez passé une fausse pièce hier soir.

ROMÉO.

Bonjour à tous deux. Et quelle fausse pièce vous ai-je donnée ?

MERCUTIO.

La monnaie de singe, Monsieur. Est-ce que vous pouvez me comprendre ?

ROMÉO.

Pardon, bon Mercutio, mais j'avais une affaire importante, et en pareil cas il est permis à un homme d'outrepasser la courtoisie.

MERCUTIO.

Autant dire qu'en un cas comme le vôtre, un homme est contraint de tourner les fesses.

ROMÉO.

Pour faire révérence courtoise, parfaitement.

MERCUTIO.

Tu comprends la chose fort galamment.

ROMÉO.

L'explication la plus courtoise.

MERCUTIO.

Comment donc, je suis le vrai modèle de la courtoisie.

ROMÉO.

Tu veux dire la fleur ?

MERCUTIO.

Tout juste.

ROMÉO.

Tiens, voilà mon escarpin fleuri [17].

MERCUTIO.

Bien touché. Et poursuis-moi cette plaisanterie jusqu'à ce que

II, 4. 58

thy pump, that, when the single sole of it is worn, the jest
may remain, after the wearing, solely singular.
    ROMEO.
60 O single-soled jest, solely singular for the singleness!
    MERCUTIO.
Come between us, good Benvolio; my wits faints.
    ROMEO.
Switch and spurs, switch and spurs; or I'll cry a match.
    MERCUTIO.
Nay, if our wits run the wild-goose chase, I am done:
for thou hast more of the wild goose in one of thy wits
than, I am sure, I have in my whole five. Was I with you
there for the goose?
    ROMEO.
Thou wast never with me for anything when thou wast
not there for the goose.
    MERCUTIO.
I will bite thee by the ear for that jest.
    ROMEO.
70 Nay, good goose, bite not.
    MERCUTIO.
Thy wit is a very bitter sweeting; it is a most sharp sauce.
    ROMEO.
And is it not then well served in to a sweet goose?
    MERCUTIO.
O, here's a wit of cheveril, that stretches from an inch
narrow to an ell broad.
    ROMEO.
I stretch it out for that word 'broad', which, added to the
goose, proves thee far and wide a broad goose.
    MERCUTIO.
Why, is not this better now than groaning for love? Now
art thou sociable, now art thou Romeo: now art thou what
thou art, by art as well as by nature. For this drivelling
80 love is like a great natural that runs lolling up and down to
hide his bauble in a hole.

tu aies usé ton escarpin : quand ton unique semelle aura rendu l'esprit, la plaisanterie restera seule, après usage, singulièrement spirituelle.

ROMÉO.

Plaisanterie à une seule semelle! Seulement singulière par sa singularité.

MERCUTIO.

Intervenez, mon bon Benvolio, mon esprit faiblit.

BENVOLIO.

Fouette et éperonne, fouette et éperonne! ou je crie partie gagnée.

MERCUTIO.

Évidemment si ton esprit part comme dans la course-à-l'oie sauvage [18], je suis fini, car tu as plus de l'oie sauvage dans un seul de tes esprits que moi dans tous mes sens réunis. Mais est-ce que je t'ai eu avec mon oie ?

ROMÉO.

Je ne t'ai jamais eu dans ma compagnie que comme une oie.

MERCUTIO.

Je te mordrai le bout de l'oreille pour cette plaisanterie.

ROMÉO.

Non, « bonne oie, ne mords pas ».

MERCUTIO.

Ton esprit est une vraie pomme aigre-douce; c'est une sauce très piquante.

ROMÉO.

Et n'est-ce pas bien servi autour d'une belle oie ?

MERCUTIO.

Oh ça c'est l'esprit en peau de chevreau, qui s'allonge quand on le tire, et qui de la petitesse d'un pouce arrive à la grosseur d'une aune.

ROMÉO.

Et je l'allonge encore un peu à cause de ton mot « grosseur », lequel ajouté à l'oie, prouve que tu en es une, et de taille!

MERCUTIO.

Allons, cela ne vaut-il pas mieux que les gémissements d'amour ? A présent te voilà sociable, à présent tu es Roméo. A présent tu es ce que tu es, par art aussi bien que par nature. Car cet amour pleurnicheur est comme un grand idiot qui court en tirant la langue, pour cacher son joujou dans un trou.

II, 4. 82

BENVOLIO.
Stop there, stop there!
MERCUTIO.
Thou desirest me to stop in my tale, against the hair?
BENVOLIO.
Thou wouldst else have made thy tale large.
MERCUTIO.
O, thou art deceived! I would have made it short, for I was come to the whole depth of my tale, and meant indeed to occupy the argument no longer.

The Nurse in her best array is seen approaching with her servant Peter.

ROMEO.
Here's goodly gear! A sail, a sail!
MERCUTIO.
Two, two! a shirt and a smock.
NURSE.
90 Peter!
PETER.
Anon.
NURSE.
My fan, Peter.
(MERCUTIO.
Good Peter, to hide her face; for her fan's the fairer face.
NURSE.
God ye goodmorrow, gentlemen.
MERCUTIO.
God ye good-den, fair gentlewoman.
NURSE.
Is it good-den?
MERCUTIO.
'Tis no less, I tell ye; for the bawdy hand of the dial is now upon the prick of noon.
NURSE.
Out upon you! What a man are you?

BENVOLIO.
Arrête, arrête là.

MERCUTIO.
Tu veux que je m'arrête dans mon histoire à rebrousse-poil ?

BENVOLIO.
Oui, autrement la queue de ton histoire deviendrait trop longue.

MERCUTIO.
Oh erreur, je l'aurais faite courte, car j'étais précisément arrivé dans la profondeur de mon histoire, aussi n'avais-je pas l'intention d'occuper l'objet plus longtemps.

Entrent la Nourrice et Peter.

ROMÉO.
Un bâtiment en vue ! Une voile, une voile !

MERCUTIO.
Deux, deux ; une veste et un jupon.

LA NOURRICE.
Peter !

PETER.
Voilà.

LA NOURRICE.
Mon éventail, Peter.

(MERCUTIO.
Oui, bon Peter, pour cacher sa figure ; car le plus joli des deux, c'est son éventail.

LA NOURRICE.
Dieu vous donne le bonjour, nobles seigneurs.

MERCUTIO.
Dieu vous donne le bonsoir, belle noble dame.

LA NOURRICE.
Est-ce donc le bonsoir ?

MERCUTIO.
Pas moins, pas moins, je vous le dis ; car l'obscène doigt du cadran solaire est en ce moment sur le point de midi.

LA NOURRICE.
Loin de moi, vous ! ah quel homme êtes-vous ?

II, 4. 100

ROMEO.

100 One, gentlewoman, that God hath made, himself to mar.

NURSE.

By my troth, it is well said. 'For himself to mar,' quoth 'a?
Gentlemen, can any of you tell me where I may find the
young Romeo?

ROMEO.

I can tell you; but young Romeo will be older when you
have found him than he was when you sought him. I am
the youngest of that name, for fault of a worse.

NURSE.

You say well.

MERCUTIO.

Yea, is the worst well? Very well took, i' faith! Wisely,
wisely!

NURSE.

110 If you be he, sir, I desire some confidence with you.

BENVOLIO.

She will indite him to some supper.

(MERCUTIO.

A bawd, a bawd, a bawd! So ho!

ROMEO.

What, hast thou found?

MERCUTIO.

No hare, sir; unless a hare, sir, in a lenten pie, that is
something stale and hoar ere it be spent.

'He walks by them and sings'.

An old hare hoar
And an old hare hoar
Is very good meat in Lent.
But a hare that is hoar
120　　　　Is too much for a score
When it hoars ere it be spent.

Romeo, will you come to your father's? We'll to dinner
thither.

ROMÉO.

Un homme, noble dame, que Dieu a fait pour qu'il se gâtât lui-même.

LA NOURRICE.

Ma foi c'est bien dit : « pour qu'il se gâtât lui-même ». Messieurs, l'un de vous peut-il me dire où je trouverai le jeune Roméo ?

ROMÉO.

Moi je puis vous le dire ; mais le jeune Roméo sera plus vieux quand vous l'aurez trouvé qu'il n'était quand vous le cherchiez. Je suis le plus jeune de ce nom, à défaut d'un pire.

LA NOURRICE.

Vous dites bien.

MERCUTIO.

Le pire, est-ce donc le bien ? Voilà qui est pris avec sagesse, avec sagesse.

LA NOURRICE.

Si vous êtes lui, Monsieur, je désire avoir avec vous une confidence.

BENVOLIO.

Elle va l'inviter à souper.

(MERCUTIO.

Une maquerelle, une maquerelle ! Ho ho !

ROMÉO.

Qu'est-ce que tu as trouvé, toi ?

MERCUTIO.

Pas un poisson, Monsieur, à moins que ce ne soit une morue, Monsieur, dans un pâté de carême, quelque chose de vieux et de pourri avant qu'on ne s'en soit servi.

'Il se promène devant eux et chante :'

La vieille morue pourrie [19]
La vieille morue pourrie
C'est bon à manger en carême
Mais la vieille morue pourrie
C'est trop à manger pour dix
Pourrie sans avoir servi !

Hé Roméo, vous viendrez chez votre père ? Nous y dînons.

ROMEO.
I will follow you.
    MERCUTIO.
Farewell, ancient lady; farewell, [*singing*] 'lady, lady, lady'.

[*Mercutio and Benvolio go off.*]

    NURSE.
I pray you, sir, what saucy merchant was this that was so
full of his ropery?
    ROMEO.
A gentleman, Nurse, that loves to hear himself talk, and
will speak more in a minute than he will stand to in a
130 month.
    NURSE.
And 'a speak anything against me, I'll take him down and
'a were lustier than he is, and twenty such Jacks: and if
I cannot, I'll find those that shall. Scurvy knave! I am
none of his flirt-gills, I am none of his skains-mates. [*To
Peter*] And thou must stand by too, and suffer every knave
to use me at his pleasure!
    PETER.
I saw no man use you at his pleasure. If I had, my weapon
should quickly have been out. I warrant you I dare draw
as soon as another man, if I see occasion in a good quarrel,
140 and the law on my side.
    NURSE.
Now afore God, I am so vexed that every part about me
quivers. Scurvy knave! Pray you, sir, a word. And as
I told you, my young lady bid me enquire you out. What
she bid me say I will keep to myself: but first let me tell ye,
if ye should lead her in a fool's paradise, as they say, it
were a very gross kind of behaviour, as they say: for the
gentlewoman is young; and therefore, if you should deal
double with her, truly it were an ill thing to be offered to
any gentlewoman, and very weak dealing.

ROMÉO.

Je vous suis.

MERCUTIO.

Et adieu, ancienne dame, adieu,

il chante :

« madame, madame, madame ».

Mercutio et Benvolio sortent.

LA NOURRICE.

Je vous demande, Monsieur, quel vaurien est celui-là, si plein de sa gueuserie ?

ROMÉO.

Un gentilhomme, Nourrice, qui aime à s'entendre parler, et qui en dit plus en une minute qu'il n'en fera en un mois.

LA NOURRICE.

S'il dit jamais une chose contre moi, je le démolirai! serait-il plus robuste qu'il ne l'est, et même plus fort que vingt bougres! Et si je n'y arrive pas, j'en trouverai bien qui sauront le faire. Sale voyou! Je ne suis pas une de ses traînées, je ne suis pas une de ses garces [20]! *(A Peter.)* Et toi tu es là, tu écoutes ça sans bouger. Tu supportes que n'importe quel voyou se serve de moi pour son bon plaisir?

PETER.

Je n'ai jamais vu un homme se servir de vous pour son plaisir; et si je l'avais vu, mon épée aurait été vite dégainée, je vous le promets. Parce que je sais dégainer aussi vivement que n'importe qui, si je vois l'occasion d'une bonne querelle avec la loi de mon côté.

LA NOURRICE.

Vrai, devant Dieu, je suis si en colère que chaque morceau de mon corps en tremble! Sale voyou! — Un mot, Monsieur, s'il vous plaît. Comme je vous l'ai dit, ma jeune dame m'a ordonné de venir vous trouver; ce qu'elle m'a ordonné de vous dire, ça je le garderai pour moi. Mais laissez-moi vous dire d'abord que si vous voulez la mener dans le paradis des fous, comme on dit, ce serait une bien vilaine manière de se conduire, comme on dit; car la noble demoiselle est jeune, et par conséquent, si vous y allez double jeu avec elle, vraiment ce serait une mauvaise chose à faire à une noble demoiselle, et une histoire pas belle!

ROMEO.

150 Nurse, commend me to thy lady and mistress. I protest
unto thee—

NURSE.

Good heart! and i' faith I will tell her as much. Lord,
Lord! she will be a joyful woman.

ROMEO.

What wilt thou tell her, Nurse? Thou dost not mark me!

NURSE.

I will tell her, sir, that you do protest, which, as I take it,
is a gentlemanlike offer.

ROMEO.

Bid her devise
Some means to come to shrift this afternoon,
And there she shall at Friar Lawrence' cell

160 Be shrived and married. Here is for thy pains.

NURSE.

No, truly, sir; not a penny.

ROMEO.

Go to, I say you shall.

NURSE.

This afternoon, sir; well, she shall be there.

ROMEO.

And stay, good Nurse, behind the abbey wall.
Within this hour my man shall be with thee
And bring thee cords made like a tackled stair,
Which to the high topgallant of my joy
Must be my convoy in the secret night.
Farewell. Be trusty, and I'll quit thy pains.

170 Farewell. Commend me to thy mistress.

NURSE.

Now God in heaven bless thee! Hark you, sir.

ROMEO.

What sayst thou, my dear Nurse?

NURSE.

Is your man secret? Did you ne'er hear say,
Two may keep counsel, putting one away?

ROMÉO.

Nourrice, recommande-moi à ta maîtresse. Je jure auprès de toi —

LA NOURRICE.

Bon cœur! et ma foi, je lui dirai tout ça. Seigneur, Seigneur, comme elle va être une femme heureuse!

ROMÉO.

Qu'est-ce que tu lui diras, Nourrice? Tu ne m'écoutes pas.

LA NOURRICE.

Je lui dirai, Monsieur, que vous avez juré; ce qui, comme je le comprends, est une offre de gentilhomme.

ROMÉO.

Dis-lui d'imaginer
Quelque façon d'aller cet après-midi à confesse;
Et là dans la cellule de Frère Laurent, elle sera
Absoute et mariée. Voilà pour ta peine.

LA NOURRICE.

Non, en vérité, Monsieur, pas un sou.

ROMÉO.

Va, prends, je te dis qu'il le faut.

LA NOURRICE.

Alors cet après-midi, Monsieur? Elle y sera.

ROMÉO.

Attends, bonne Nourrice, au mur de l'Abbaye.
Dans une heure tu rencontreras mon homme,
Il te remettra des cordes formant une échelle
Celle qui dans la secrète nuit me conduira
Jusqu'au plus haut du haut mât de ma joie.
Adieu, sois-moi fidèle et je récompenserai tes peines;
Adieu, recommande-moi à ta maîtresse.

LA NOURRICE.

Encore une fois, Dieu dans le ciel vous bénisse! Écoutez, Monsieur.

ROMÉO.

Que veux-tu dire, ma bonne Nourrice?

LA NOURRICE.

Votre homme est-il bien discret? N'avez-vous pas entendu dire :
Deux hommes peuvent garder le secret, si on en a ôté un?

II, 4. 175

ROMEO.
I warrant thee my man's as true as steel.
    NURSE.
Well, sir, my mistress is the sweetest lady. Lord, Lord!
when 'twas a little prating thing—O, there is a nobleman in
town, one Paris, that would fain lay knife aboard: but she,
good soul, had as lief see a toad, a very toad, as see him.
180 I anger her sometimes, and tell her that Paris is the properer
man; but I'll warrant you, when I say so, she looks as pale
as any clout in the versal world.   Doth not rosemary and
Romeo begin both with a letter?
    ROMEO.
Ay, Nurse; what of that? Both with an R.
    NURSE.
Ah, mocker, that's the dog-name; R is for the—No; I
know it begins with some other letter; and she hath the
prettiest sententious of it, of you and rosemary, that it
would do you good to hear it.
    ROMEO.
Commend me to thy lady.
    NURSE.
190 Ay, a thousand times. [*Romeo goes*] Peter!
    PETER.
Anon.
    NURSE.
Before and apace.

                                        [*they go.*

ROMÉO.

Je garantis mon homme aussi sûr que l'acier.

LA NOURRICE.

Bien, Monsieur. Ma maîtresse est la plus douce des dames.
— Seigneur, Seigneur! quand c'était encore une petite chose
babillante — oh il y a un noble personnage dans la ville, un
certain Paris, qui ne demanderait pas mieux que d'aller à
l'abordage [21]. Mais elle, la bonne âme, elle aimerait mieux
regarder un crapaud, un vrai crapaud, que de le voir lui.
Des fois je la mets en colère, je lui dis que ce Paris, c'est
l'homme qu'il lui faut. Mais je vous le garantis, quand je
dis ça, elle devient aussi pâle que n'importe quel linge dans
le monde universel. Est-ce que romarin [22] et Roméo ne
commencent pas tous les deux par une lettre?

ROMÉO.

Oui, Nourrice, pourquoi ça? Tous les deux par un R.

LA NOURRICE.

Ah, moqueur! Rrr... Rrr... c'est la langue au chat [23]! R c'est
pour le — Non, je sais bien que ça commence par une autre
lettre, — et elle a fait les plus jolies histoires là-dessus, sur
vous et le romarin, que vous auriez bien plaisir à les entendre.

ROMÉO.

Recommande-moi à ta maîtresse.

Roméo sort.

LA NOURRICE.

Oui, oui, mille fois! Peter!

PETER.

Voilà!

LA NOURRICE.

Marche devant, et vivement!

Ils sortent.

ROMEO AND JULIET

[II, 5.]   Capulet's orchard
                                    'Enter JULIET'.

JULIET.
The clock struck nine when I did send the Nurse;
In half an hour she promised to return.
Perchance she cannot meet him.   That's not so.
O, she is lame! Love's heralds should be thoughts,
Which ten times faster glides than the sun's beams
Driving back shadows over louring hills.
Therefore do nimble-pinioned doves draw Love,
And therefore hath the wind-swift Cupid wings.
Now is the sun upon the highmost hill
10 Of this day's journey, and from nine till twelve
Is three long hours; yet she is not come.
Had she affections and warm youthful blood,
She would be swift in motion as a ball;
My words would bandy her to my sweet love,
And his to me.
But old folks, many feign as they were dead—
Unwieldy, slow, heavy, and pale as lead.
                          'Enter Nurse', with Peter.
O God, she comes! O honey Nurse, what news?
Hast thou met with him? Send thy man away.
    NURSE.
20 Peter, stay at the gate.

                              [Peter withdraws.

JULIET.
Now good sweet Nurse—O Lord, why look'st thou sad?
Though news be sad, yet tell them merrily;
If good, thou shamest the music of sweet news
By playing it to me with so sour a face.
    NURSE.
I am aweary, give me leave a while.
Fie, how my bones ache! What a jaunce have I!

136

[II, 5.]   Le jardin de Capulet

'*Entre* JULIETTE.'

JULIETTE
La cloche sonnait neuf heures quand partit la Nourrice
En une demi-heure elle allait revenir.
Peut-être qu'elle n'a pu le rencontrer ? Non, impossible.
Elle est boiteuse! Les messagers d'amour
Devraient être les pensées, qui volent dix fois plus vite
Que les rayons du jour
Chassant les ombres des collines nuageuses;
C'est pourquoi de rapides colombes traînent l'Amour
Et Cupidon semblable au vent possède des ailes.
Maintenant le soleil est sur le plus haut mont
De son voyage de ce jour, et de neuf heures jusqu'à midi
Il y a trois longues heures, elle n'est pas revenue.
Si elle avait des passions et un jeune sang bouillant
Elle eût été dans son mouvement comme une balle,
Mes paroles l'auraient lancée vers mon cher amour
Et les siennes vers moi.
Mais bien souvent les vieux ont l'air d'être des morts
Pesants, lents, et lourds et gris comme le plomb.

'*Entre la Nourrice*' avec Peter.

Dieu! la voici. O douce Nourrice, quelles nouvelles ?
Dis, l'as-tu rencontré ? Fais sortir ton homme.
    LA NOURRICE.
Peter, reste à la porte.

Peter sort.

JULIETTE.
Alors, douce bonne Nourrice, —
Seigneur! pourquoi un air si triste?
Même si tristes sont les nouvelles, dis-les gaiement,
Et sinon, tu gâtes la musique des douces nouvelles
A me les jouer avec un visage aussi mauvais.
    LA NOURRICE.
Je suis éreintée; laissez-moi le temps de souffler.
Là, que mes os me font mal! Et j'en ai fait une trotte!

JULIET.
I would thou hadst my bones, and I thy news:
Nay, come, I pray thee speak; good, good Nurse, speak.
    NURSE.
Jesu, what haste! Can you not stay awhile?
30 Do you not see that I am out of breath?
    JULIET.
How art thou out of breath when thou hast breath
To say to me that thou art out of breath?
The excuse that thou dost make in this delay
Is longer than the tale thou dost excuse.
Is thy news good or bad? Answer to that.
Say either, and I'll stay the circumstance.
Let me be satisfied; is't good or bad?
    NURSE.
Well, you have made a simple choice; you know not how
to choose a man. Romeo? No, not he. Though his
40 face be better than any man's, yet his leg excels all men's;
and for a hand and a foot and a body, though they be not to
be talked on, yet they are past compare. He is not the
flower of courtesy, but, I'll warrant him, as gentle as a
lamb. Go thy ways, wench; serve God. What, have you
dined at home?
    JULIET.
No, no. But all this did I know before.
What says he of our marriage, what of that?
    NURSE.
Lord, how my head aches! what a head have I!
It beats as it would fall in twenty pieces.
50 My back o't'other side; ah, my back, my back!
Beshrew your heart for sending me about
To catch my death with jauncing up and down.
    JULIET.
I' faith, I am sorry that thou art not well.
Sweet, sweet, sweet Nurse, tell me, what says my love?

JULIETTE.

Je voudrais que tu eusses mes os et moi tes nouvelles!
Viens, je t'en supplie, parle, bonne Nourrice, parle!

LA NOURRICE.

Jésus, Jésus, quelle hâte! Et vous ne pouvez pas attendre un
  petit instant?
Et vous ne voyez pas que je suis toute hors de souffle?

JULIETTE.

Comment es-tu hors de souffle, quand tu as le souffle
Pour me dire que tu es toute hors de souffle?
L'excuse que tu donnes pour ton retard
Est plus longue que l'histoire dont tu t'excuses.
Tes nouvelles sont-elles bonnes, sont-elles mauvaises?
Réponds à cela; dis quelque chose,
Et j'attendrai pour les détails;
Satisfais-moi, sont-elles bonnes ou mauvaises?

LA NOURRICE.

Ah bien, vous en avez fait, un pauvre choix; vous ne savez
pas comment on choisit un homme. Roméo! non, pas lui.
Bien que sa figure soit plus belle que celle de n'importe qui,
ses jambes l'emportent sur celles de tout le monde. Quant à
sa main, son pied, son corps, bien qu'il n'y ait rien à en dire,
ils sont au-dessus de toute comparaison. Ce n'est pas la fleur
de la courtoisie, mais je vous le garantis aussi doux qu'un
agneau. Va ton chemin, fille, et sers Dieu. Alors, est-ce que
vous avez dîné, à la maison?

JULIETTE.

Non, non. Mais tout cela je le savais avant.
Que dit-il au sujet de notre mariage, que dit-il?

LA NOURRICE.

Seigneur, que la tête me fait mal! Quelle tête, quelle tête
  j'ai là!
Elle bat comme si elle allait éclater en mille pièces.
Et mon dos de l'autre côté! — Ah mon dos, mon dos par là!
Malheur à votre cœur qui m'envoie attraper la mort en
  galopant à droite et à gauche!

JULIETTE.

Ma foi je suis bien peinée de te voir si fatiguée.
Mais dis-moi, douce douce Nourrice, que t'a déclaré mon
  amour?

NURSE.
Your love says, like an honest gentleman, and a courteous,
and a kind, and a handsome, and, I warrant a virtuous—
Where is your mother?
    JULIET.
Where is my mother? Why, she is within.
Where should she be? How oddly thou repliest:
60 'Your love says, like an honest gentleman,
    "Where is your mother?"'
    NURSE.
                    O God's Lady dear!
Are you so hot? Marry come up, I trow!
Is this the poultice for my aching bones?
Henceforward do your messages yourself.
    JULIET.
Here's such a coil! Come, what says Romeo?
    NURSE.
Have you got leave to go to shrift today?
    JULIET.
I have.
    NURSE.
Then hie you hence to Friar Lawrence' cell;
There stays a husband to make you a wife.
70 Now comes the wanton blood up in your cheek;
They'll be in scarlet straight at any news.
Hie you to church; I must another way,
To fetch a ladder, by the which your love
Must climb a bird's nest soon when it is dark.
I am the drudge, and toil in your delight:
But you shall bear the burthen soon at night.
Go; I'll to dinner; hie you to the cell.
    JULIET.
Hie to high fortune! Honest Nurse, farewell.

                                        [*they go.*

140

LA NOURRICE.
Votre amour a déclaré — comme un honnête gentilhomme,
et courtois, et bon, et beau, et je le garantis vertueux —
où est votre mère ?
JULIETTE.
Comment, où est ma mère ? Voyons, elle est chez elle.
Où serait-elle donc ? Tu réponds drôlement :
« Votre amour a déclaré, comme un honnête gentilhomme,
Où est votre mère ? »
LA NOURRICE.
                    Chère dame du Bon Dieu!
Êtes-vous donc si ardente ? Allez-y, par Marie!
Et c'est tout ça votre cataplasme pour mes pauvres os malades ?
Une autre fois faites vos commissions vous-même!
JULIETTE.
Quel bruit pour rien! — Viens, que dit Roméo ?
LA NOURRICE.
Avez-vous la permission d'aller aujourd'hui à confesse ?
JULIETTE.
Je l'ai.
LA NOURRICE.
Alors courez à la cellule du Frère Laurent,
Là vous attend un mari pour vous faire femme.
Allez, voilà ce polisson de sang qui monte à vos joues,
A la moindre nouvelle
Elles vont devenir rouges!
Rendez-vous à l'église, et moi j'irai ailleurs
Chercher une échelle, par laquelle votre amour
Doit monter au nid de l'oiseau quand il fera sombre.
Je suis la bête de somme et je peine pour votre plaisir
Mais c'est vous qui porterez le poids, aussitôt que viendra
    la nuit!
Allez, je vais dîner. Courez à la cellule.
JULIETTE.
Vers mon très grand bonheur! —
Brave Nourrice, adieu.

Elles sortent.

[II, 6.]   Friar Lawrence's cell

'*Enter* FRIAR *and* ROMEO'.

FRIAR.
So smile the heavens upon this holy act
That after-hours with sorrow chide us not.
    ROMEO.
Amen, amen. But come what sorrow can,
It cannot countervail the exchange of joy
That one short minute gives me in her sight.
Do thou but close our hands with holy words,
Then love-devouring death do what he dare;
It is enough I may but call her mine.
    FRIAR.
These violent delights have violent ends,
10 And in their triumph die like fire and powder
  Which, as they kiss, consume.   The sweetest honey
Is loathsome in his own deliciousness,
And in the taste confounds the appetite.
Therefore love moderately; long love doth so:
Too swift arrives as tardy as too slow.
Here comes the lady.

                                        '*Enter Juliet*'.

                    O, so light a foot
Will ne'er wear out the everlasting flint!
A lover may bestride the gossamers
That idles in the wanton summer air,
20 And yet not fall; so light is vanity.
    JULIET.
Good even to my ghostly confessor.
    FRIAR.
Romeo shall thank thee, daughter, for us both.
    JULIET.
As much to him, else is his thanks too much.

                                        [*they embrace.*

    ROMEO.
Ah, Juliet, if the measure of thy joy
Be heaped like mine, and that thy skill be more

ROMÉO ET JULIETTE

[II, 6.]   La cellule de Frère Laurent
        '*Entrent* FRÈRE LAURENT *et* ROMÉO'.

FRÈRE LAURENT.
Que sourie donc le Ciel à cet acte sacré
Et plus tard ne le fasse point payer par le chagrin.
ROMÉO.
Amen, amen! Mais vienne n'importe quel chagrin
Il ne peut compenser cet échange de joie
Que sa vue dans une petite minute me donne.
Par des mots consacrés joins seulement nos mains
Et que la mort dévoreuse d'amour fasse comme elle veut!
C'est assez que je puisse dire : elle est à moi.
FRÈRE LAURENT.
Ces violentes joies ont de violentes fins
Et meurent dans leur triomphe comme feu et poudre
Qui se consument en s'embrassant; le plus doux miel
Est écœurant par son propre délice   .
Et confond l'appétit par son excellent goût.
Long amour fait ainsi : aimons modérément;
Le trop vif arrive aussi tard que le trop lent.
                         '*Entre Juliette.*'

Voici la dame : oh, un pas si léger
N'usera jamais le silex éternel.
L'amoureux peut passer sur les fils de la Vierge
Qui paressent dans l'air folâtre de l'été
Sans tomber, la vanité est si légère.
JULIETTE.
Je souhaite bonsoir à mon saint confesseur.
FRÈRE LAURENT.
Roméo pour nous deux, fille, te remerciera.
JULIETTE.
Qu'il lui soit donné même remerciement
Ou ses mercis seraient alors trop grands.
ROMÉO.
Ah Juliette, si la mesure de ta joie
Est comblée comme est la mienne,
Et si ton adresse est plus grande

II, 6. 26

To blazon it, then sweeten with thy breath
This neighbour air, and let rich music's tongue
Unfold the imagined happiness that both
Receive in either by this dear encounter.
    JULIET.
30 Conceit, more rich in matter than in words,
Brags of his substance, not of ornament.
They are but beggars that can count their worth;
But my true love is grown to such excess
I cannot sum up sum of half my wealth.
    FRIAR.
Come, come with me, and we will make short work;
For, by your leaves, you shall not stay alone
Till Holy Church incorporate two in one.

                                          [*they go.*

[III, 1.]   A public place

    '*Enter* MERCUTIO, BENVOLIO, *and*' their '*men*'.

    BENVOLIO.
I pray thee, good Mercutio, let's retire;
The day is hot, the Capels are abroad:
And if we meet we shall not scape a brawl,
For now, these hot days, is the mad blood stirring.
    MERCUTIO.
Thou art like one of these fellows that, when he enters the
confines of a tavern, claps me his sword upon the table and
says 'God send me no need of thee'; and, by the operation
of the second cup, draws him on the drawer, when indeed
there is no need.
    BENVOLIO.
10 Am I like such a fellow?
    MERCUTIO.
Come, come, thou art as hot a Jack in thy mood as any in
Italy; and as soon moved to be moody, and as soon moody
to be moved.

A en dire la louange, embaume alors de ton haleine
L'air alentour et que la riche musique de ta langue
Déploie l'image du bonheur que l'un de l'autre
En cette chère rencontre nous recevons.

JULIETTE.

La pensée plus riche en matière qu'en parole
Se glorifie de sa substance et non pas de son ornement;
Il n'y a que les mendiants qui puissent compter leur richesse.
Mon vrai amour a grandi jusqu'à tel excès
Que je ne puis plus faire la somme
De la moitié de mon trésor.

FRÈRE LAURENT.

Venez, venez avec moi et nous allons faire rapidement.
Car avec votre permission je ne vous laisserai pas seuls
Avant que la sainte Église ait uni les deux en un seul.

Ils sortent.

[III, 1.]   Une place publique

'*Entrent* MERCUTIO, BENVOLIO, *et des serviteurs.*'

BENVOLIO.

Je t'en prie, bon Mercutio, retirons-nous :
Il fait chaud, et les Capulet sont dans la ville;
Si nous les rencontrons nous n'éviterons pas une querelle,
Par ces chaudes journées bouillonne le sang fou.

MERCUTIO.

Tu es comme ces gaillards qui à peine entrés dans une taverne
vous flanquent leur épée sur la table en criant : « Dieu
veuille que je n'aie pas à m'en servir! » et qui dès l'effet du
second verre la tirent contre le tireur de vin, sans aucune
nécessité.

BENVOLIO.

Suis-je un type de ce genre?

MERCUTIO.

Allons, allons, tu es un bougre aussi chaud que n'importe
lequel en Italie, et aussi vite excité à être emporté, et aussi
vite emporté à être excité.

BENVOLIO.
And what to?
MERCUTIO.
Nay, an there were two such, we should have none shortly,
for one would kill the other. Thou? Why, thou wilt
quarrel with a man that hath a hair more or a hair less in
his beard than thou hast. Thou wilt quarrel with a man
for cracking nuts, having no other reason but because thou
20 hast hazel eyes. What eye but such an eye would spy out
such a quarrel? Thy head is as full of quarrels as an
egg is full of meat, and yet thy head hath been beaten as
addle as an egg for quarrelling. Thou hast quarrelled
with a man for coughing in the street, because he hath
wakened thy dog that hath lain asleep in the sun. Didst
thou not fall out with a tailor for wearing his new doublet
before Easter? With another for tying his new shoes with
old riband? And yet thou wilt tutor me from quarrelling?
BENVOLIO.
An I were so apt to quarrel as thou art, any man should
30 buy the fee-simple of my life for an hour and a quarter.
MERCUTIO.
The fee-simple? O simple!

'Enter Tybalt,' *'and others'.*

BENVOLIO.
By my head, here comes the Capulets.
MERCUTIO.
By my heel, I care not.
TYBALT.
Follow me close, for I will speak to them.
Gentlemen, good-den: a word with one of you.
MERCUTIO.
And but one word with one of us? Couple it with some-
thing; make it a word and a blow.
TYBALT.
You shall find me apt enough to that, sir, an you will give
me occasion.

BENVOLIO.

Et à quei propos?

MERCUTIO.

Hé, s'il y en avait deux de pareils nous n'en aurions bientôt plus qu'un, car il aurait tué l'autre. Toi! mais tu querelles un homme si sa barbe a un poil de plus ou de moins que la tienne. Tu le querelles parce qu'il casse des noix [24], pour la seule raison que tes yeux sont couleur de noisette; quel œil, sinon cet œil-là, pourrait dénicher une telle querelle? Ta tête est pleine de querelles comme un œuf de nourriture, bien qu'elle ait été si souvent battue par les querelles que la voilà comme un œuf gâté. Tu t'es querellé avec un homme qui toussait dans la rue, parce qu'il réveillait ton chien qui dormait au soleil. N'es-tu pas tombé sur un tailleur parce qu'il portait son habit neuf avant Pâques? Et sur un autre parce qu'il avait noué ses souliers neufs avec de vieux rubans? Et c'est toi qui prétends m'apprendre à éviter les querelles?

BENVOLIO.

Si j'étais aussi prompt à la bataille que tu l'es, toi, tout homme pourrait acheter ma vie éternelle pour une heure et quart.

MERCUTIO.

Ta vie éternelle! O sempiternel.

'Entrent Tybalt et d'autres.

BENVOLIO.

Par ma tête, voilà les Capulet.

MERCUTIO.

Par mon talon, ça m'est bien égal.

TYBALT.

Suivez-moi de près car je veux leur parler.
Seigneurs, bonsoir. Un mot à l'un de vous.

MERCUTIO.

Et rien qu'un mot à l'un de nous? Accouplez-le à quelque chose; faites-en un mot et un coup.

TYBALT.

Vous me trouverez tout prêt à cela, Monsieur, si vous m'en donnez l'occasion.

MERCUTIO.

40 Could you not take some occasion without giving?

TYBALT.

Mercutio, thou consort'st with Romeo—

MERCUTIO.

Consort? What, dost thou make us minstrels? An thou
make minstrels of us, look to hear nothing but discords.
Here's my fiddlestick; here's that shall make you dance.
Zounds, consort!

BENVOLIO.

We talk here in the public haunt of men.
Either withdraw unto some private place
And reason coldly of your grievances,
Or else depart: here all eyes gaze on us.

MERCUTIO.

50 Men's eyes were made to look, and let them gaze.
I will not budge for no man's pleasure, I.

'Enter Romeo'.

TYBALT.

Well, peace be with you, sir; here comes my man.

MERCUTIO.

But I'll be hanged, sir, if he wears your livery.
Marry, go before to field, he'll be your follower!
Your worship in that sense may call him man.

TYBALT.

Romeo, the love I bear thee can afford
No better term than this: thou art a villain.

ROMEO.

Tybalt, the reason that I have to love thee
Doth much excuse the appertaining rage

60 To such a greeting. Villain am I none—
Therefore farewell; I see thou knowest me not.

TYBALT.

Boy, this shall not excuse the injuries
That thou hast done me; therefore turn and draw.

ROMEO.

I do protest I never injured thee,
But love thee better than thou canst devise

MERCUTIO.

Ne pourriez-vous pas saisir une occasion sans qu'on vous la
donnât ?

TYBALT.

Mercutio, tu es de concert avec Roméo —

MERCUTIO.

De concert! Nous prends-tu pour des musiciens ? et si tu
nous prends pour des musiciens, tu peux t'attendre à n'écouter que des discordances. Voilà mon archet; voilà pour vous
faire danser. Sang de Dieu! Concert!

BENVOLIO.

Nous parlons ici en un lieu fréquenté.
Ou retirons-nous dans quelque endroit privé
Ou raisonnons froidement sur vos griefs
Ou séparons-nous là. Tous les yeux sont sur nous.

MERCUTIO.

Les yeux des hommes sont faits pour voir, qu'ils voient;
Je ne bougerai pas pour le plaisir d'un homme.

'Entre Roméo.

TYBALT.

Allons, soyez en paix, Monsieur : voici mon homme.

MERCUTIO.

Qu'on me pende, Monsieur, s'il porte votre livrée!
Par la Vierge, allez sur le terrain, il vous y suivra,
Dans ce sens Votre Seigneurie l'appellera « son homme ».

TYBALT.

Roméo, l'amour que je te porte ne peut trouver
Meilleure expression que celle-ci : tu es un lâche.

ROMÉO.

Tybalt, la raison que j'ai de t'aimer
Excuse la rage d'un pareil salut;
Je ne suis pas un lâche; donc adieu
Car je le vois, tu ne me connais pas.

TYBALT.

Mon garçon, ceci ne peut excuser les injures
Que tu m'as faites : tourne-toi et combats!

ROMÉO.

Je proteste, jamais je ne t'ai fait injure,
Et je t'aime à un degré que tu ne peux imaginer

Till thou shalt know the reason of my love:
And so, good Capulet, which name I tender
As dearly as mine own, be satisfied.
    MERCUTIO.
O calm, dishonourable, vile submission!
70 'Alla stoccata' carries it away.

[draws.

Tybalt, you rat-catcher, will you walk?
    TYBALT.
What wouldst thou have with me?
    MERCUTIO.
Good King of Cats, nothing but one of your nine lives that
I mean to make bold withal and, as you shall use me here-
after, dry-beat the rest of the eight. Will you pluck your
sword out of his pilcher by the ears? Make haste, lest
mine be about your ears ere it be out.
    TYBALT.
I am for you.

[draws.

    ROMEO.
Gentle Mercutio, put thy rapier up.
    MERCUTIO.
80 Come, sir, your passado.

[they fight.

    ROMEO.
Draw, Benvolio; beat down their weapons.
Gentlemen, for shame forbear this outrage.
Tybalt, Mercutio, the prince expressly hath
Forbid this bandying in Verona streets.
Hold, Tybalt! good Mercutio!

'*Tybalt under Romeo's arm thrusts Mercutio in and flies.*

    MERCUTIO.
                  I am hurt.
A plague o' both your houses! I am sped.
Is he gone and hath nothing?

Tant que tu n'auras point connu la raison de mon amour :
Ainsi, bon Capulet — et ce nom, il m'est cher
Tout autant que le mien — sois satisfait.
    MERCUTIO.
Calme déshonorant! Abjecte soumission!
Alla stoccata! Emporte-moi ça!

                                    Il dégaine.

Tybalt, chercheur de rats, voulez-vous faire un tour ?
    TYBALT.
Qu'est-ce que vous voulez de moi ?
    MERCUTIO.
Bon Prince des Chats! rien qu'une de vos neuf vies avec
laquelle j'ai l'intention de prendre des libertés, et selon
que vous en userez avec moi ensuite, me réservant de rosser
les huit autres. Voulez-vous tirer votre épée par ses oreilles ?
et faites vite, sinon la mienne va être sur vos oreilles avant
que la vôtre ne soit dehors.
    TYBALT.
Je suis à vous.

                                    Il dégaine.

    ROMÉO.
Rentre ton épée, mon bon Mercutio.
    MERCUTIO.
Allons, Monsieur, votre passado!

                                    Ils se battent.

    ROMÉO.
Dégaine, Benvolio; abattons leurs armes!
Seigneurs, par pudeur, empêchez cet outrage!
Tybalt, Mercutio, le Prince expressément
Interdit les combats dans les rues de Vérone!
Arrête, Tybalt! Bon Mercutio!

'*Tybalt atteint Mercutio sous le bras de Roméo et s'enfuit*'.

    MERCUTIO.
                        Je suis blessé.
La peste sur vos Maisons. Je suis expédié.
Il est parti ? Et il n'a rien, lui ?

BENVOLIO.
What, art thou hurt?

MERCUTIO.
Ay, ay, a scratch, a scratch; marry, 'tis enough.
Where is my page? Go, villain, fetch a surgeon.

[Page goes.

ROMEO.
90 Courage, man; the hurt cannot be much.

MERCUTIO.
No, 'tis not so deep as a well, nor so wide as a church door,
but 'tis enough, 'twill serve. Ask for me tomorrow and
you shall find me a grave man. I am peppered, I warrant,
for this world. A plague o' both your houses! Zounds!
A dog, a rat, a mouse, a cat, to scratch a man to death!
A braggart, a rogue, a villain, that fights by the book of
arithmetic! Why the devil came you between us? I
was hurt under your arm.

ROMEO.
I thought all for the best.

MERCUTIO.
100 Help me into some house, Benvolio,
Or I shall faint. A plague o' both your houses!
They have made worms' meat of me. I have it,
And soundly too. Your houses!

[Benvolio helps him away.

ROMEO.
This gentleman, the prince's near ally,
My very friend, hath got this mortal hurt
In my behalf, my reputation stained
With Tybalt's slander—Tybalt that an hour
Hath been my cousin. O sweet Juliet,
Thy beauty hath made me effeminate,
110 And in my temper soft'ned valour's steel!

Benvolio returns.

BENVOLIO.
O Romeo, Romeo, brave Mercutio's dead.

BENVOLIO.

Tu es blessé?

MERCUTIO.

Oui, une égratignure, une égratignure. C'est assez.
Où est mon page? Va, coquin, cherche un chirurgien.

Le page sort.

BENVOLIO.

Courage, ami; la blessure n'est pas grande.

MERCUTIO.

Non, elle n'est pas aussi profonde qu'un puits, ni aussi large
qu'une porte d'église. Mais elle suffit, elle servira; demandez-
moi demain et vous trouverez un homme bien grave [25].
Je suis poivré, je vous le dis, pour ce monde. — La peste
sur vos Maisons! — Sangdieu, un chien, un rat, une souris,
un chat, égratigner un homme à mort! Un crâneur, une brute,
un lâche qui se bat d'après le traité d'arithmétique! Et
pourquoi diable vous êtes-vous jeté entre nous? J'ai été
touché par-dessous votre bras.

ROMÉO.

Je voulais faire pour le mieux.

MERCUTIO.

Aide-moi jusqu'à une maison, Benvolio,
Ou je vais m'évanouir. — La peste sur vos deux Maisons!
Elles ont fait de moi une viande pour les vers.
Je l'ai, et rudement bien. Vos Maisons!

Mercutio et Benvolio sortent.

ROMÉO.

Ce gentilhomme, proche parent du Prince,
Mon véritable ami, reçoit ce coup mortel
Pour moi; et ma réputation
Est atteinte par l'injure de Tybalt, de ce Tybalt
Qui une heure fut mon cousin : douce Juliette,
Ta beauté m'a donc fait un efféminé,
Elle amollit en moi l'acier de ma valeur!

Rentre Benvolio.

BENVOLIO.

O Roméo, le brave Mercutio est mort.

That gallant spirit hath aspired the clouds,
Which too untimely here did scorn the earth.
  ROMEO.
This day's black fate on moe days doth depend;
This but begins the woe others must end.

Tybalt returns.

  BENVOLIO.
Here comes the furious Tybalt back again.
  ROMEO.
Again! in triumph, and Mercutio slain!
Away to heaven, respective lenity,
And fire-eyed fury be my conduct now!
120 Now, Tybalt, take the 'villain' back again
That late thou gavest me, for Mercutio's soul
Is but a little way above our heads,
Staying for thine to keep him company.
Either thou or I, or both, must go with him.
  TYBALT.
Thou wretched boy that didst consort him here
Shalt with him hence.
  ROMEO.
                    This shall determine that.

['*they fight, Tybalt falls*'.

  BENVOLIO.
Romeo, away, be gone!
The citizens are up, and Tybalt slain.
Stand not amazed.   The prince will doom thee death
130 If thou art taken.   Hence, be gone, away!
  ROMEO.
O, I am Fortune's fool.
  BENVOLIO.
                    Why dost thou stay?

[*Romeo goes.*
'*Enter Citizens*'.

  A CITIZEN.
Which way ran he that killed Mercutio?
Tybalt, that murderer, which way ran he?

154

Ce galant esprit a franchi les nuages
Lui qui prématurément a pris la terre en dédain.
   R O M É O.
Le noir destin de ce jour sur d'autres jours est suspendu,
Celui-ci commence un malheur que d'autres devront finir.

Rentre Tybalt.

   B E N V O L I O.
Voilà le furieux Tybalt qui revient encore.
   R O M É O.
Vivant, en triomphe! Et Mercutio tué!
Retourne au ciel, attentive douceur,
Qu'avec son œil de feu la fureur me conduise! —
Allons, Tybalt, retire ce « lâche » de tout à l'heure
Car l'âme de Mercutio
N'a fait qu'un petit chemin par-dessus nos têtes
Attendant la tienne, pour avoir compagnie.
Toi ou moi, ou les deux, nous partons avec lui.
   T Y B A L T.
Toi misérable enfant, qui tenais pour lui,
Avec lui tu partiras.
   R O M É O

        Ceci décidera.

     'Ils se battent. Tybalt tombe.'

   B E N V O L I O.
Roméo, va-t'en, fuis!
Les citoyens sont ameutés, Tybalt tombé!
Ne reste pas là stupide : le Prince te condamnera à mort
Si tu es pris : va-t'en! fuis! loin d'ici!
   R O M É O.
Oh — je suis le fou de la Fortune!
   B E N V O L I O.

       Pourquoi restes-tu ?

     Roméo sort. 'Entrent les citoyens.'

   P R E M I E R C I T O Y E N.
Par où s'est enfui celui qui tua Mercutio ?
Le meurtrier, Tybalt, par où s'est-il enfui ?

III, 1. 134

BENVOLIO.
There lies that Tybalt.
    A CITIZEN.
                   Up, sir, go with me:
I charge thee in the prince's name obey.

'Enter Prince, old Montague, Capulet, their wives and all'.

    PRINCE.
Where are the vile beginners of this fray?
    BENVOLIO.
O noble Prince, I can discover all
The unlucky manage of this fatal brawl.
There lies the man, slain by young Romeo,
140 That slew thy kinsman, brave Mercutio.
    LADY CAPULET.
Tybalt, my cousin. O my brother's child!
O prince! O husband! O, the blood is spilled
Of my dear kinsman. Prince, as thou art true,
For blood of ours shed blood of Montague.
O cousin, cousin!
    PRINCE.
Benvolio, who began this bloody fray?
    BENVOLIO.
Tybalt, here slain, whom Romeo's hand did slay.
Romeo, that spoke him fair, bid him bethink
How nice the quarrel was, and urged withal
150 Your high displeasure. All this—uttered
With gentle breath, calm look, knees humbly bowed—
Could not take truce with the unruly spleen
Of Tybalt deaf to peace, but that he tilts
With piercing steel at bold Mercutio's breast,
Who, all as hot, turns deadly point to point,
And, with a martial scorn, with one hand beats
Cold death aside and with the other sends
It back to Tybalt, whose dexterity
Retorts it. Romeo he cries aloud,
160 'Hold, friends! friends, part!' and, swifter than his tongue,
His agile arm beats down their fatal points,
And 'twixt them rushes; underneath whose arm

BENVOLIO.
Le voilà, ce Tybalt.
PREMIER CITOYEN.
Levez-vous, Monsieur!
Suivez-moi, je vous somme au nom du Prince, obéissez.

'Entrent le Prince, le vieux Montaigue, Capulet, leurs femmes, et
d'autres.'

LE PRINCE.
Où sont les vils instigateurs de la bagarre?
BENVOLIO.
Noble Prince, je puis révéler
Tout le cours malheureux de l'horrible querelle.
Voici l'homme, tué par le jeune Roméo,
Qui tua votre cousin le brave Mercutio.
DAME CAPULET.
Tybalt, mon cousin! Prince, l'enfant de mon frère!
O Prince! O mon cousin! O mon ami! Le sang
De mon plus cher parent est répandu! Si vous êtes juste
Prince, pour notre sang, vous répandrez le sang
De Montaigue! O mon cousin, ô mon cousin.
LE PRINCE.
Benvolio, qui a commencé la rixe sanglante?
BENVOLIO.
Tybalt ici tué, que tua la main de Roméo.
Roméo, lui parlant doucement, le priait de considérer
Que la querelle était futile, et il invoquait encore
Votre haute volonté; tout cela d'une voix tranquille
Et l'air calme, avec les genoux humblement ployés,
Ne put faire trêve à la colère désordonnée
De Tybalt. Et celui-ci sourd à la paix
Bientôt se lance avec l'acier perçant
Vers la poitrine du valeureux Mercutio;
Lui, tout aussi ardent, oppose pointe à pointe,
Avec un martial dédain il écarte d'une main
La froide mort, et de l'autre il la retourne sur Tybalt
Dont l'adresse la lui renvoie; Roméo crie:
« Cessez, amis! Séparez-vous! » et plus rapide que sa langue
Son bras agile abaisse les deux pointes,
Il se précipite entre eux, mais sous son bras

An envious thrust from Tybalt hit the life
Of stout Mercutio, and then Tybalt fled,
But by and by comes back to Romeo
Who had but newly entertained revenge,
And to't they go like lightning; for, ere I
Could draw to part them, was stout Tybalt slain,
And, as he fell, did Romeo turn and fly:
170 This is the truth, or let Benvolio die.
　　　LADY CAPULET.
He is a kinsman to the Montague;
Affection makes him false, he speaks not true.
Some twenty of them fought in this black strife,
And all those twenty could but kill one life.
I beg for justice, which thou, Prince, must give:
Romeo slew Tybalt; Romeo must not live.
　　　PRINCE.
Romeo slew him; he slew Mercutio.
Who now the price of his dear blood doth owe?
　　　MONTAGUE.
Not Romeo, Prince; he was Mercutio's friend;
180 His fault concludes but what the law should end—
The life of Tybalt.
　　　PRINCE.
　　　　　　　　And for that offence
Immediately we do exile him hence.
I have an interest in your hearts' proceeding:
My blood for your rude brawls doth lie a-bleeding.
But I'll amerce you with so strong a fine
That you shall all repent the loss of mine.
I will be deaf to pleading and excuses;
Nor tears nor prayers shall purchase out abuses.
Therefore use none. Let Romeo hence in haste,
190 Else, when he is found, that hour is his last.
Bear hence this body, and attend our will.
Mercy but murders, pardoning those that kill.

　　　　　　　　　　　　　　　[they go.

ROMÉO ET JULIETTE

Un envieux coup de Tybalt atteint la vie de Mercutio.
Tybalt s'enfuit, et bientôt après il revient
Sur Roméo qui depuis un instant voulait sa vengeance;
Ils se sont jetés l'un sur l'autre comme en un éclair
Car avant que j'aie dégainé pour les séparer Tybalt était tué
Et comme il tombait Roméo s'enfuyait.
Telle est la vérité, ou qu'on mette à mort Benvolio.

DAME CAPULET.
Prince, c'est un parent des Montaigue,
L'affection le fait mentir, il ne dit pas la vérité :
Il y en avait bien vingt de chez eux combattant dans
     cette noire mêlée
Et tous ces vingt ont pu seulement tuer une vie!
Je demande la justice, que vous, Prince, devez faire :
Roméo a tué Tybalt, Roméo doit perdre la vie.

LE PRINCE.
Oui Roméo l'a tué, mais lui a tué Mercutio;
Qui maintenant me paiera le prix de ce cher sang?

MONTAIGUE.
Pas Roméo, Prince, il était l'ami de Mercutio;
Sa faute fut de terminer ce que la loi devait trancher :
L'existence de Tybalt.

LE PRINCE.
               Et pour cette offense
Immédiatement nous l'exilons d'ici.
Je suis atteint par les actes de votre haine,
Mon sang, pour vos querelles de brutes, ruisselle à terre.
Mais je vous frapperai d'une peine si dure
Que tous vous déplorerez la perte des miens.
Je serai sourd aux plaidoyers et aux excuses,
Ni larmes ni prières ne pourront vous racheter.
N'en usez pas. Que Roméo se hâte de partir
Ou s'il est découvert son heure est la dernière.
Que l'on porte ce corps; attendez nos arrêts.
La clémence ne fait que tuer, en pardonnant aux meurtriers.

               Ils sortent.

[III, 2.]   Capulet's   house

'Enter J U L I E T *alone'.*

J U L I E T.
Gallop apace, you fiery-footed steeds,
Towards Phœbus' lodging! Such a waggoner
As Phaëton would whip you to the west
And bring in cloudy night immediately.
Spread thy close curtain, love-performing night,
† That runaway's eyes may wink, and Romeo
Leap to these arms untalked of and unseen.
Lovers can see to do their amorous rites
By their own beauties; or, if love be blind,
10 It best agrees with night. Come, civil Night,
Thou sober-suited matron all in black,
And learn me how to lose a winning match,
Played for a pair of stainless maidenhoods.
Hood my unmanned blood, bating in my cheeks,
With thy black mantle till strange love, grown bold,
Think true love acted simple modesty.
Come, Night! Come, Romeo! Come, thou day in night;
For thou wilt lie upon the wings of night
Whiter than snow upon a raven's back.
20 Come, gentle Night; come, loving, blackbrowed Night:
Give me my Romeo; and, when he shall die,
Take him and cut him out in little stars,
And he will make the face of heaven so fine
That all the world will be in love with night
And pay no worship to the garish sun.
O, I have bought the mansion of a love,
But not possessed it; and though I am sold,
Not yet enjoyed. So tedious is this day
As is the night before some festival
30 To an impatient child that hath new robes
And may not wear them. O, here comes my nurse,
                              'Enter Nurse with cords'.

[III, 2.]   Le jardin de Capulet

Entre J U L I E T T E , *seule.*'

J U L I E T T E .

Galopez vite, ô vous coursiers aux pieds de feu
Vers la demeure de Phœbus. Un conducteur
Comme Phaéton vous eût fouettés vers l'ouest
Et eût précipité déjà la nuit nuageuse.
Déploie ton épais rideau, nuit qui accomplis les amours,
Que les yeux du fuyard [26] se ferment, que Roméo
Ni entendu ni vu s'élance dans mes bras.
Les amants voient clair pour leurs rites d'amour
Par leur beauté même; ou bien s'il est aveugle
L'amour s'accorde avec la nuit. Viens, sérieuse nuit,
Toi matrone simplement vêtue de noir,
Apprends-moi comment perdre une partie gagnée
Dont les enjeux sont deux virginités sans tache;
Et mon sang non dressé [27], qui bat dans mes joues,
Encapuchonne-le de ton noir manteau, jusqu'à ce que
Le timide amour devenant audacieux
Voie comme un acte de modestie l'acte d'amour.
Viens, nuit! Viens, Roméo, viens, toi jour dans la nuit
Car tu seras étendu sur les ailes de la nuit
Plus blanc que la nouvelle neige sur le dos noir d'un corbeau.
Viens, gentille nuit! Nuit aimante, au front sombre,
Donne-moi mon Roméo; et quand il devra mourir
Prends-le et coupe-le en petites étoiles
Et la face du ciel il la fera si belle
Que le monde sera amoureux de la nuit
Et ne rendra plus culte à l'éclatant soleil.
Oh j'ai acheté la demeure d'un amour
Mais je ne l'ai pas possédée, et bien que je sois vendue
Je ne suis pas prise encore; aussi ennuyeux est ce jour
Qu'est la soirée avant une grande fête
Pour l'impatiente enfant qui a des robes neuves
Et ne peut les porter. — Oh voici ma Nourrice.

Entre la Nourrice, avec des cordes.'

And she brings news; and every tongue that speaks
But Romeo's name speaks heavenly eloquence.
Now, Nurse, what news? What hast thou there?
   The cords
That Romeo bid thee fetch?
    N U R S E .

                  Ay, ay, the cords.

                    [*throws them down.*

    J U L I E T .
Ay me, what news? Why dost thou wring thy hands?
    N U R S E .
Ah, weraday! He's dead, he's dead, he's dead!
We are undone, lady, we are undone.
Alack the day he's gone, he's killed, he's dead!
    J U L I E T .
40 Can heaven be so envious?
    N U R S E .

               Romeo can,
Though heaven cannot. O Romeo, Romeo!
Who ever would have thought it? Romeo!
    J U L I E T .
What devil art thou that dost torment me thus?
This torture should be roared in dismal hell.
Hath Romeo slain himself? Say thou but 'ay,'
And that bare vowel 'I' shall poison more
Than the death-darting eye of cockatrice.
I am not I if there be such an 'I',
Or those eyes shut that makes thee answer 'ay'.
50 If he be slain, say 'ay', or, if not, 'no'.
Brief sounds determine of my weal or woe.
    N U R S E .
I saw the wound, I saw it with mine eyes,
(God save the mark!) here on his manly breast.
A piteous corse, a bloody piteous corse,
Pale, pale as ashes, all bedaubed in blood,
All in gore blood; I swounded at the sight.

Elle apporte des nouvelles,
Et toute langue parle avec l'éloquence du ciel
Qui dit seulement le nom de Roméo. —
Alors, Nourrice, quelles nouvelles?
Et qu'as-tu là? les cordes
Que Roméo t'a dit d'aller chercher?
LA NOURRICE.

Oui, oui, les cordes.

Elle les jette à terre.

JULIETTE.
Ah, quelles nouvelles? Pourquoi tords-tu tes mains?
LA NOURRICE.
Ah jour affreux! Il est mort, il est mort.
Nous sommes perdues, Madame, nous sommes perdues.
Hélas quel jour! — Il n'est plus, il est tué, il est mort!
JULIETTE.
Le ciel pourrait-il être si haineux?
LA NOURRICE.

Roméo le peut,
Si le ciel ne le peut pas. O Roméo, ô Roméo! —
Qui jamais l'aurait pensé? — Roméo, ah Roméo.
JULIETTE.
Quel démon es-tu pour me tourmenter?
Cette torture on pourrait la hurler dans l'horrible enfer!
Roméo s'est-il tué lui-même? Dis seulement « oui »
Et ce « oui » tout nu m'empoisonnera plus
Que l'œil dardant la mort du basilic.
Je ne suis plus moi si j'entends un tel « oui »,
Si ces yeux sont fermés qui te font dire « oui ».
S'il est tué, dis « oui », s'il ne l'est pas dis « non ».
Ces sons brefs décideront
Du bonheur ou du malheur.
LA NOURRICE.
J'ai vu la blessure, je l'ai vue de mes yeux,
(Dieu me pardonne) à sa mâle poitrine,
Un cadavre, un malheureux cadavre ensanglanté,
Pâle, pâle comme la cendre,
Tout barbouillé de sang, tout en sang caillé,
En le voyant j'ai perdu connaissance.

III, 2. 57

JULIET.
O break, my heart! Poor bankrout, break at once!
To prison, eyes; ne'er look on liberty.
Vile earth, to earth resign, end motion here,
60 And thou and Romeo press one heavy bier!
NURSE.
O Tybalt, Tybalt, the best friend I had!
O courteous Tybalt, honest gentleman,
That ever I should live to see thee dead!
JULIET.
What storm is this that blows so contrary?
Is Romeo slaught'red? and is Tybalt dead?
My dearest cousin, and my dearer lord?
Then, dreadful trumpet, sound the general doom;
For who is living if those two are gone?
NURSE.
Tybalt is gone and Romeo banishéd;
70 Romeo that killed him, he is banishéd.
JULIET.
O God! did Romeo's hand shed Tybalt's blood?
NURSE.
It did, it did! aias the day, it did!
JULIET.
O serpent heart, hid with a flowering face!
Did ever dragon keep so fair a cave?
Beautiful tyrant, fiend angelical,
Dove-feathered raven, wolvish-ravening lamb!
Despiséd substance of divinest show,
Just opposite to what thou justly seemst—
A damnéd saint, an honourable villain!
80 O nature, what hadst thou to do in hell
When thou didst bower the spirit of a fiend
In mortal paradise of such sweet flesh?
Was ever book containing such vile matter
So fairly bound? O that deceit should dwell
In such a gorgeous palace!

JULIETTE.

Oh brise-toi mon cœur, pauvre banqueroutier
Brise-toi sur le coup!
En prison mes yeux, et ne regardez plus
Jamais la liberté!
O terre vile, arrête ton mouvement, retourne à la terre
Et qu'une lourde bière presse toi et Roméo.

LA NOURRICE.

O Tybalt, ô Tybalt, le meilleur ami que j'aie eu!
O très courtois Tybalt, et seigneur très honnête,
Devais-je vivre pour te voir tué un jour?

JULIETTE.

Quelle tempête soufflant en sens contraire?
Roméo est-il tué — Tybalt est-il mort?
Mon très cher cousin, et mon plus cher seigneur?
Alors trompette mortelle, sonne le dernier jugement!
Si ces deux-là ne sont plus, qui reste vivant?

LA NOURRICE.

Tybalt est bien parti, et Roméo banni,
Roméo, qui l'a tué, il est banni.

JULIETTE.

O Dieu! — la main de Roméo a versé le sang de Tybalt?

LA NOURRICE.

Elle l'a versé; jour de malheur, elle l'a versé!

JULIETTE.

O cœur serpent caché sous un visage de fleurs!
Jamais dragon a-t-il gardé un si bel antre?
Toi beau tyran, angélique démon!
Corbeau orné des plumes de colombe
Agneau ravisseur comme le loup!
Substance méprisable en un divin aspect!
Juste l'opposé de ce que justement tu parais être;
Un saint damné, un honorable lâche!
O nature qu'avais-tu à faire au fond de l'enfer
Quand tu enfermas un démoniaque esprit
Au paradis mortel d'une si belle chair?
Quel livre a jamais contenu matière si vile
Relié de si belle façon? Un tel mensonge
Peut-il habiter dans un si splendide palais?

165

III, 2. 85

NURSE.

There's no trust,
No faith, no honesty in men; all perjured,
All forsworn, all naught, all dissemblers.
Ah, where's my man? Give me some aqua vitae.
These griefs, these woes, these sorrows make me old.
90 Shame come to Romeo!

JULIET.

Blistered be thy tongue
For such a wish! He was not born to shame.
Upon his brow shame is ashamed to sit:
For 'tis a throne where honour may be crowned
Sole monarch of the universal earth.
O what a beast was I to chide at him!

NURSE.

Will you speak well of him that killed your cousin?

JULIET.

Shall I speak ill of him that is my husband?
Ah, poor my lord, what tongue shall smooth thy name
When I, thy three-hours wife, have mangled it?
100 But wherefore, villain, didst thou kill my cousin?
That villain cousin would have killed my husband.
Back, foolish tears, back to your native spring!
Your tributary drops belong to woe
Which you, mistaking, offer up to joy.
My husband lives, that Tybalt would have slain,
And Tybalt's dead that would have slain my husband:
All this is comfort; wherefore weep I then?
Some word there was, worser than Tybalt's death,
That murd'red me. I would forget it fain,
110 But oh, it presses to my memory
Like damnéd guilty deeds to sinners' minds—
'Tybalt is dead and Romeo banishéd'.
That 'banishéd', that one word 'banishéd',
Hath slain ten thousand Tybalts. Tybalt's death
Was woe enough if it had ended there:
Or, if sour woe delights in fellowship
And needly will be ranked with other griefs,
Why followed not, when she said 'Tybalt's dead',

ROMÉO ET JULIETTE

LA NOURRICE.
Il n'y a pas de confiance à avoir dans les hommes;
Ni bonne foi ni honnêteté; tous des parjures,
Tous des faussaires, des vauriens et des mensongers.
Où est-il mon valet? Qu'on me donne un peu d'*aqua vitae*:
Ces chagrins et ces malheurs me feront devenir vieille.
La honte sur Roméo!
JULIETTE.
                    Et que ta langue se couvre d'ampoules
Pour un tel vœu! Il n'était pas né pour la honte
Et la honte est honteuse de s'asseoir sur son front
Car c'est un trône où peut être couronné l'honneur
Seul monarque de la terre universelle.
Oh quelle bête j'étais de l'injurier!
LA NOURRICE.
Vous parlez bien de celui qui tua votre cousin?
JULIETTE.
Parlerai-je mal
De celui qui est mon mari? Ah pauvre seigneur,
Quelle langue douce pansera ton nom
Quand moi ta femme depuis trois heures je l'ai meurtri?
Mais aussi pourquoi, misérable, avoir tué mon cousin?
C'est que ce cousin misérable, il aurait tué mon mari.
Rentrez donc, larmes folles, remontez à votre source
Car vos gouttes tributaires appartiennent au chagrin
Et, vous trompant, vous les apportez à la joie.
Mon mari vit, lui que Tybalt voulait tuer.
Tybalt est mort, qui voulait tuer mon mari.
Tout cela est consolant et alors pourquoi pleurer?
Mais il y a un mot, mot pire que la mort
De mon cousin, qui m'a assassinée,
Je voudrais l'oublier! Oh mais il presse sur ma mémoire
Comme les actions damnées sur la conscience du pécheur:
« Tybalt est mort, et Roméo — banni »,
« Banni », ce mot « banni », l'unique mot « banni »
Tue dix mille Tybalt! La mort de Tybalt
Était un suffisant malheur s'il s'arrêtait là;
Ou si le malheur amer se réjouit dans l'amitié
Et veut absolument être entouré d'autres malheurs,
Pourquoi, quand elle a dit « Tybalt est mort »,

167

III, 2. 119

'Thy father', or 'thy mother', nay, or both,
120 Which modern lamentation might have moved?
But, with a rearward following Tybalt's death,
'Romeo is banishéd'! To speak that word
Is father, mother, Tybalt, Romeo, Juliet,
All slain, all dead: 'Romeo is banishéd'!
There is no end, no limit, measure, bound,
In that word's death; no words can that woe sound.
Where is my father and my mother, Nurse?
    N U R S E .
Weeping and wailing over Tybalt's corse.
Will you go to them? I will bring you thither.
    J U L I E T .
130 Wash they his wounds with tears? Mine shall be spent,
When theirs are dry, for Romeo's banishment.
Take up those cords. Poor ropes, you are beguiled,
Both you and I, for Romeo is exiled.
He made you for a highway to my bed,
But I, a maid, die maiden-widowéd.
Come, cords; come, Nurse: I'll to my wedding bed,
And death, not Romeo, take my maidenhead!
    N U R S E .
Hie to your chamber. I'll find Romeo
To comfort you: I wot well where he is.
140 Hark ye, your Romeo will be here at night:
I'll to him; he is hid at Lawrence' cell.
    J U L I E T .
O find him! Give this ring to my true knight
And bid him come to take his last farewell.

                                              [*they go.*

N'ont pas suivi « et ton père » — « et ta mère » —
Oui, ou les deux,
Ce qui aurait mérité les lamentations ordinaires ?
Mais faire suivre la mort de mon cousin
De cette arrière-garde : « Roméo est banni »,
C'est père, mère, Tybalt, Roméo, Juliette,
Tous tués et tous morts. « Roméo est banni. »
Il n'y a ni fin ni limite, ni mesure ni terme
Dans la mort de ce mot-là,
Et nul mot pour faire sonner un tel malheur!
Nourrice — où est mon père, où est ma mère ?

LA NOURRICE.

Pleurant et gémissant sur le corps de Tybalt.
Voulez-vous aller vers eux ? Je vous y mènerai.

JULIETTE.

Lavent-ils ses blessures avec leurs larmes?
Mes larmes je les dépenserai
Quand les leurs seront séchées, pour l'exil de Roméo.
Ramasse les cordes.
Oh l'on vous a trompées, mes pauvres cordes,
Vous et moi trompées; Roméo est banni.
Il vous a faites pour la grand'route vers mon lit
Mais moi fille, je meurs comme une fille veuve,
Viens Nourrice; et vous, cordes. Je vais au lit nuptial;
Que la mort et non Roméo prenne ma virginité!

LA NOURRICE.

Allez à votre chambre. Je trouverai Roméo
Pour vous consoler. Je sais bien où il est.
Entendez-vous, il sera ici cette nuit votre Roméo.
J'y vais, j'y vais : il est caché
Dans la cellule de Laurent.

JULIETTE.

Oh trouve-le! Donne à mon chevalier fidèle cet anneau,
Dis-lui de venir prendre son dernier adieu.

Elles sortent.

[III, 3.]   Friar Lawrence's cell with his study at the back

Enter FRIAR.

FRIAR.
Romeo, come forth; come forth, thou fearful man.
Affliction is enamoured of thy parts,
And thou art wedded to calamity.

Enter Romeo from the study.

ROMEO.
Father, what news? What is the prince's doom?
What sorrow craves acquaintance at my hand
That I yet know not?
FRIAR.
                    Too familiar
Is my dear son with such sour company!
I bring thee tidings of the prince's doom.
ROMEO.
What less than doomsday is the prince's doom?
FRIAR.
10 A gentler judgment vanished from his lips;
Not body's death, but body's banishment.
ROMEO.
Ha, banishment? Be merciful, say 'death':
For exile hath more terror in his look,
Much more than death: do not say 'banishment'.
FRIAR.
Hence from Verona art thou banishéd.
Be patient, for the world is broad and wide.
ROMEO.
There is no world without Verona walls,
But purgatory, torture, hell itself:
Hence banishéd is banished from the world,
20 And world's exile is death. Then 'banishéd'
Is death mis-termed. Calling death 'banishéd',
Thou cut'st my head off with a golden axe,
And smilest upon the stroke that murders me.

[III, 3.]   La cellule de Frère Laurent

Entre FRÈRE LAURENT.

FRÈRE LAURENT.
Roméo, montre-toi; montre-toi, peureux homme,
Car l'affliction s'est éprise de toi
Et tu es marié à la calamité.

Entre Roméo.

ROMÉO.
Mon père, quelles nouvelles? Le jugement du Prince?
Quelle douleur cherche à toucher ma main
Sans que je la connaisse encore?
FRÈRE LAURENT.
                    Trop familier
Est mon cher fils de cette triste compagnie.
Je t'apporte la teneur du jugement du Prince.
ROMÉO.
Peut-il être moins que le jugement dernier,
Le jugement du Prince?
FRÈRE LAURENT.
Un jugement plus doux est tombé de ses lèvres.
Non pas la mort du corps, le bannissement du corps.
ROMÉO.
Ah, bannissement! Soyez clément, dites « la mort »;
Car l'exil a bien plus d'horreur en son regard,
Beaucoup plus que la mort! Ne dites pas « bannissement ».
FRÈRE LAURENT.
Tu es banni de cette ville de Vérone :
Sois patient; le monde est vaste, le monde est grand.
ROMÉO.
Il n'y a pas de monde hors des murs de Vérone
Mais purgatoire, torture, enfer lui-même.
Le banni d'ici c'est le banni du monde
Et l'exil du monde est la mort; alors « banni »
C'est la mort sous un faux nom; en appelant la mort « banni »
Vous me tranchez la tête avec une hache d'or
Et souriez du coup qui m'a assassiné.

FRIAR.
O deadly sin! O rude unthankfulness!
Thy fault our law calls death, but the kind Prince,
Taking thy part, hath rushed aside the law,
And turned that black word 'death' to 'banishment'.
This is dear mercy, and thou seest it not.
ROMEO.
'Tis torture and not mercy. Heaven is here
30 Where Juliet lives, and every cat and dog
And little mouse, every unworthy thing,
Live here in heaven and may look on her,
But Romeo may not. More validity,
More honourable state, more courtship, lives
In carrion flies than Romeo: they may seize
On the white wonder of dear Juliet's hand,
And steal immortal blessing from her lips,
Who even in pure and vestal modesty
Still blush, as thinking their own kisses sin;
40 This may flies do, when I from this must fly
And say'st thou yet that exile is not death?
But Romeo may not—he is banishéd.
Flies may do this, but I from this must fly:
They are freemen, but I am banishéd.
Hadst thou no poison mixed, no sharp-ground knife,
No sudden mean of death, though ne'er so mean,
But 'banishéd' to kill me? 'Banishéd'!
O friar, the damnéd use that word in hell:
Howling attends it. How hast thou the heart,
50 Being a divine, a ghostly confessor,
A sin-absolver, and my friend professed,
To mangle me with that word 'banishéd'?
FRIAR.
Thou fond mad man, hear me a little speak.
ROMEO.
O thou wilt speak again of banishment.
FRIAR.
I'll give thee armour to keep off that word—

FRÈRE LAURENT.
O mortel péché! Grossière ingratitude!
Ta faute, notre loi l'appelle mort; mais le bon Prince
Prenant ton parti a écarté la loi
Et changé cette noire mort en bannissement :
C'est une grande grâce, et tu ne le vois pas.
ROMÉO.
Non, c'est torture et non pas grâce; le ciel est là
Où vit Juliette; un chien, un chat,
Une petite souris, toute chose même indigne
Vivent ici au ciel, peuvent la regarder
Mais Roméo ne le peut pas;
Plus de pouvoir et d'honneur et de privilège
Vivent dans les mouches du charnier
Que dans le pauvre Roméo :
Car elles peuvent s'emparer
Du blanc miracle de la main de ma Juliette
Et ravir l'immortelle bénédiction de ses deux lèvres
Qui en leur modestie pure et virginale
Rougissent même, prenant leur propre baiser pour un péché.
Mais Roméo ne le peut pas, il est banni.
Les mouches peuvent faire ce que moi je dois fuir,
Elles sont libres, tandis que moi je suis banni.
Et direz-vous encor que l'exil n'est point mort ?
N'avez-vous ni mixture de poison
Ni couteau aiguisé tranchant
Ni moyen foudroyant de mort si bas qu'il soit,
Mais seulement « banni », pour me tuer ? — « Banni »?
O frère les damnés usent de ce mot-là
Dans l'enfer et les hurlements l'accompagnent.
Vous qui êtes le divin confesseur des âmes
Le remetteur des péchés, et mon vrai ami,
Comment avez-vous le cœur
De m'écraser avec ce mot « banni »?
FRÈRE LAURENT.
Toi, homme sans raison, écoute une parole.
ROMÉO.
Oh vous allez encor parler de bannissement.
FRÈRE LAURENT
Je te donnerai une armure, pour supporter un tel mot;

III, 3. 56

    Adversity's sweet milk, philosophy,
    To comfort thee though thou art banishéd.
      R O M E O .
    Yet 'banishéd'? Hang up philosophy!
    Unless philosophy can make a Juliet,
60 Displant a town, reverse a prince's doom,
    It helps not, it prevails not; talk no more.
      F R I A R .
    O then I see that madmen have no ears.
      R O M E O .
    How should they, when that wise men have no eyes?
      F R I A R .
    Let me dispute with thee of thy estate.
      R O M E O .
    Thou canst not speak of that thou dost not feel.
    Wert thou as young as I, Juliet thy love,
    An hour but married, Tybalt murderéd,
    Doting like me, and like me banishéd,
    Then mightst thou speak, then mightst thou tear thy hair,
70 And fall upon the ground as I do now,
    Taking the measure of an unmade grave.

                        [knocking without.

      F R I A R .
    Arise; one knocks. Good Romeo, hide thyself.
      R O M E O .
    Not I, unless the breath of heartsick groans
    Mist-like infold me from the search of eyes.

                        [knocking again.

      F R I A R .
    Hark, how they knock!—Who's there?—Romeo, arise;
    Thou wilt be taken.—Stay awhile!—Stand up;
                     [louder knocking.
    Run to my study.—By and by!—God's will,
    What simpleness is this?—I come, I come?
                     [knocking yet again.

Le doux lait de l'adversité, la philosophie
Sera propre à te consoler, malgré que tu sois banni.

ROMÉO.

Encor « banni » ? Pendez votre philosophie!
Tant que la philosophie ne pourra faire une Juliette
Ou déplacer une ville ou renverser l'arrêt du Prince,
Elle ne sert à rien et ne peut rien : ne parlez plus.

FRÈRE LAURENT.

Alors, je le vois bien, les fous n'ont pas d'oreilles.

ROMÉO.

Comment en auraient-ils, si les sages n'ont pas d'yeux ?

FRÈRE LAURENT.

Accorde-moi de discuter sur ton état.

ROMÉO.

Vous ne pouvez parler, vous ne l'éprouvez pas :
Êtes-vous jeune comme moi ?
Juliette votre amante ?
Marié depuis une heure, ayant tué Tybalt,
Éperdu comme je suis et comme moi banni,
Alors vous pourriez parler et vous arracher les cheveux
Et tomber sur la terre, comme je fais,
Donnant mesure pour une tombe à creuser.

On frappe au dehors.

FRÈRE LAURENT.

Debout! On frappe; bon Roméo, cache-toi.

ROMÉO.

Non, pas moi.
A moins que les soupirs des gémissements du cœur
Ne me dérobent comme un brouillard à la recherche des yeux.

On frappe.

FRÈRE LAURENT.

Écoute, comme on frappe! — Qui est là ? — Debout, Roméo,
Tu vas être pris ! — Attendez un moment. — Lève-toi, Roméo!

On frappe.

Va dans ma chambre! — Tout à l'heure! — Bonté de Dieu,
Quel entêtement. — Je viens, je viens.

On frappe.

Who knocks so hard? Whence come you? What's your will?
 NURSE [*from without*].
80 Let me come in and you shall know my errand:
I come from Lady Juliet.
 FRIAR.
       Welcome then.

          '*Enter Nurse*'.

 NURSE.
O holy friar, O tell me, holy friar,
Where is my lady's lord? Where's Romeo?
 FRIAR.
There on the ground, with his own tears made drunk.
 NURSE.
O he is even in my mistress' case,
Just in her case.
 FRIAR.
     O woeful sympathy:
Piteous predicament!
 NURSE.
       Even so lies she,
Blubbering and weeping weeping, and blubbering.
Stand up, stand up! Stand an you be a man;
90 For Juliet's sake, for her sake rise and stand:
Why should you fall into so deep an O?
 ROMEO [*rising*].
Nurse!
 NURSE.
    Ah sir, ah sir, death's the end of all.
 ROMEO.
Spakest thou of Juliet? How is it with her?
Doth not she think me an old murderer,
Now I have stained the childhood of our joy
With blood removed but little from her own?
Where is she? and how doth she? and what says
My concealed lady to our cancelled love?
 NURSE.
O she says nothing, sir, but weeps and weeps,

Qui frappe donc si fort? D'où venez-vous? Et que voulez-
vous?
L A   N O U R R I C E , *au dehors.*
Laissez-moi entrer et vous connaîtrez mon message;
C'est de la part de Dame Juliette.
F R È R E   L A U R E N T .
　　　　　　　　　　Soyez la bienvenue.

　　　　　　　　　　　　'*Entre la Nourrice*'.

L A   N O U R R I C E .
O saint frère, oh dites-moi, saint frère,
Où est le seigneur de ma dame, où est Roméo?
F R È R E   L A U R E N T .
Là, à terre, par ses propres larmes enivré.
L A   N O U R R I C E .
Oh, il est dans le même état que ma maîtresse,
Juste le même état.
F R È R E   L A U R E N T .
　　　　　　　O triste sympathie,
Bien pitoyable cas!
L A   N O U R R I C E .
　　　　　　　　Elle est couchée comme ça
Braillant et pleurnichant, pleurnichant et braillant.
Levez-vous, levez-vous; debout, vous êtes un homme.
Pour l'amour de Juliette, pour elle, redressez-vous.
A quoi sert de tomber dans un si profond ou-ouh!
R O M É O .
Nourrice.
L A   N O U R R I C E .
Ah Monsieur, ah Monsieur! Eh bien, la mort est la fin
de tout.
R O M É O .
Parles-tu de Juliette? Comment est-ce, pour elle?
Ne me voit-elle pas comme un dur meurtrier
A présent que j'ai souillé l'enfance de notre joie
Avec un sang si peu éloigné de son propre sang?
Où est-elle et que fait-elle? et que dit
Ma secrète épouse à notre amour anéanti?
L A   N O U R R I C E .
Oh elle ne dit rien, Monsieur, elle pleure et pleure;

100 And now falls on her bed, and then starts up,
And Tybalt calls, and then on Romeo cries,
And then down falls again.

ROMEO.

As if that name,
Shot from the deadly level of a gun,
Did murder her, as that name's cursèd hand
Murdered her kinsman. O tell me, friar, tell me,
In what vile part of this anatomy
Doth my name lodge? Tell me, that I may sack
The hateful mansion.

[*he offers to stab himself, and Nurse snatches the dagger
away*'.

FRIAR.

Hold thy desperate hand!
Art thou a man? Thy form cries out thou art:
110 Thy tears are womanish, thy wild acts denote
The unreasonable fury of a beast.
Unseemly woman in a seeming man,
And ill-beseeming beast in seeming both!
Thou hast amazed me. By my holy order,
I thought thy disposition better tempered.
Hast thou slain Tybalt? Wilt thou slay thyself?
And slay thy lady, that in thy life lives,
By doing damnèd hate upon thyself?
Why rail'st thou on thy birth, the heaven, and earth,
120 Since birth, and heaven, and earth, all three do meet
In thee at once, which thou at once wouldst lose?
Fie, fie! thou sham'st thy shape, thy love, thy wit,
Which like a usurer abound'st in all,
And usest none in that true use indeed
Which should bedeck thy shape, thy love, thy wit.
Thy noble shape is but a form of wax,
Digressing from the valour of a man;
Thy dear love sworn but hollow perjury,
Killing that love which thou hast vowed to cherish;
130 Thy wit, that ornament to shape and love,
Misshapen in the conduct of them both,
Like powder in a skilless soldier's flask

Et puis elle tombe sur son lit; et puis d'un coup elle se
    relève;
Et puis elle appelle Tybalt; et puis elle crie Roméo,
Et puis elle retombe encore une fois.
    R O M É O .
                              Comme si ce nom
Lancé par la mortelle volée d'un canon
La tuait, comme la main maudite de ce nom
A tué son cousin! Dis-moi, frère, dis-moi
Dans quel vil endroit de cette anatomie
Loge mon nom ? Dis-le pour que je puisse saccager
La hideuse demeure!

    'Il tire son poignard et la Nourrice le lui arrache.'

    F R È R E   L A U R E N T .
                       Arrête ta main désespérée!
Es-tu un homme ? Ta forme crie bien que tu l'es
Mais tes larmes sont d'une femme et tes actions
Montrent la furie sans raison d'une bête.
Une femme inconvenante dans un semblant d'homme,
Une bête mal séante ayant de l'homme et de la femme!
Oui tu m'as étonné, et par mon saint Ordre,
Je croyais ton caractère un peu mieux trempé.
As-tu tué Tybalt ? Et veux-tu te tuer ?
Et tuer ta femme qui vit de ta vie
En faisant cette action damnée contre toi-même ?
Pourquoi injuries-tu ta naissance, le ciel et la terre ?
Puisque ta naissance, le ciel, la terre, sont en toi
Qui veux les perdre ensemble tous les trois ?
Tu fais honte à ta forme, à ton amour, à ton esprit,
Alors que comme un usurier tu as tout en abondance
Et n'uses de rien selon l'usage vrai
Qui doit orner ta forme, ton amour, ton esprit.
Ta noble forme n'est donc qu'une image de cire
Bien éloignée de la vaillance d'un homme,
Ton cher amour juré n'est donc qu'un creux parjure
Qui tue cet amour que tu jures d'aimer;
Ton esprit, cet ornement de la forme et de l'amour
Déformé dans sa conduite de l'un et l'autre,
Comme la poudre dans le sac d'un mauvais soldat

Is set afire by thine own ignorance,
And thou dismembered with thine own defence.
What, rouse thee, man! Thy Juliet is alive,
For whose dear sake thou wast but lately dead.
There art thou happy. Tybalt would kill thee,
But thou slewest Tybalt. There art thou happy.
The law that threatened death becomes thy friend,
140 And turns it to exile. There art thou happy too.
A pack of blessings light upon thy back;
Happiness courts thee in her best array;
But, like a misbehaved and sullen wench,
Thou pouts upon thy fortune and thy love.
Take heed, take heed, for such die miserable.
Go get thee to thy love, as was decreed;
Ascend her chamber; hence and comfort her.
But look thou stay not till the watch be set,
For then thou canst not pass to Mantua,
150 Where thou shalt live till we can find a time
To blaze your marriage, reconcile your friends,
Beg pardon of the prince, and call thee back
With twenty hundred thousand times more joy
Than thou wentst forth in lamentation.
Go before, Nurse. Commend me to thy lady,
And bid her hasten all the house to bed,
Which heavy sorrow makes them apt unto.
Romeo is coming.
   N U R S E .
O Lord, I could have stayed here all the night
160 To hear good counsel; O what learning is!
My lord, I'll tell my lady you will come.
   R O M E O .
Do so, and bid my sweet prepare to chide.

                         'Nurse offers to go in and turns again'.

ROMÉO ET JULIETTE

Prend feu en raison de ta propre ignorance
Et te démembre avec les moyens de ta défense.
Allons, relève-toi, homme, relève-toi!
Ta Juliette est vivante
Pour l'amour de qui tu étais presque mort,
Et en cela tu es un homme heureux;
Tybalt a voulu te tuer, tu l'as frappé,
En cela aussi tu es un homme heureux;
La loi qui te menaçait de mort devient ton amie
Et se change en exil,
Et par cela enfin tu es un homme heureux.
Mais un paquet de bénédictions tombe sur ton dos!
Mais le bonheur te courtise vêtu de ses plus beaux atours!
Et comme une fille maussade qui mal se conduit
Toi tu boudes ta fortune et ton amour?
Prends garde, ceux qui font ainsi meurent misérables.
Va trouver ton amour comme il fut décidé,
Monte à sa chambre et donne-lui consolation;
Mais veille à ne pas y rester jusqu'à l'heure
Où l'on place le guet, car tu ne pourrais plus gagner
    Mantoue;
Là tu vivras jusqu'à ce que nous ayons trouvé le temps
    favorable
De proclamer votre mariage, de réconcilier vos amis,
D'obtenir le pardon du Prince et de te rappeler ici
Où tu reviendras avec vingt mille fois plus de joie
Que tu n'auras eu de désolation à t'en aller.
Va devant, Nourrice, et recommande-moi à ta dame;
Qu'elle hâte le coucher de toute la maison
Ce à quoi leur grand chagrin les disposera:
Roméo vient.
    LA NOURRICE.
O Seigneur! toute la nuit je resterais bien
Pour entendre si bons conseils; ce que c'est que l'instruction!
A ma dame j'annoncerai que vous arrivez, Monseigneur.
    ROMÉO.
Fais-le. Et dis à mon doux cœur
Qu'elle se prépare à me gronder.

'La Nourrice fait mine de partir, puis revient sur ses pas.'

III, 3. 163

NURSE.
Here, sir, a ring she bid me give you, sir.
Hie you, make haste, for it grows very late.

[*she goes.*

ROMEO.
How well my comfort is revived by this.
FRIAR.
Go hence; goodnight; and here stands all your state:
Either be gone before the watch be set,
Or by the break of day disguised from hence.
Sojourn in Mantua. I'll find out your man,
170 And he shall signify from time to time
Every good hap to you that chances here.
Give me thy hand. 'Tis late; farewell, good night.
ROMEO.
But that a joy past joy calls out on me,
It were a grief so brief to part with thee.
Farewell.

[*they go.*

[III, 4.]   Capulet's house
'*Enter old* CAPULET, *his wife and* PARIS'.

CAPULET.
Things have fall'n out, sir, so unluckily
That we have had no time to move our daughter.
Look you, she loved her kinsman Tybalt dearly,
And so did I. Well, we were born to die.
'Tis very late; she'll not come down tonight.
I promise you, but for your company,
I would have been abed an hour ago.
PARIS.
These times of woe afford no times to woo.
Madam, goodnight; commend me to your daughter.

LA NOURRICE.
Voilà, Monsieur, justement une bague
Qu'elle m'a priée, Monsieur, de vous donner.
Dépêchez-vous et venez vite, il se fait tard.

Elle sort.

ROMÉO.
Que mon bonheur est par tout cela ranimé!
FRÈRE LAURENT.
Va, bonne nuit; tout ton avenir tient en ceci:
Ou sois parti avant qu'on ne pose le guet,
Ou bien au point du jour fuis sous un déguisement.
Reste à Mantoue; je trouverai un homme
Pour te faire connaître de temps en temps
Toute chose favorable ayant chance d'arriver.
Donne-moi ta main; il est tard; et bonne nuit,
Adieu.
ROMÉO.
N'était cette joie dépassant toute joie
Qui m'appelle hors d'ici,
J'aurais peine à me séparer de vous si vite,
Adieu.

Ils sortent.

[III, 4.]   La maison de Capulet

'*Entrent* CAPULET, DAME CAPULET *et* PARIS.'

CAPULET.
Les choses ont tourné, Monsieur, si malheureusement, que
nous n'avons pas eu le temps d'avertir notre fille. Voyez-vous,
elle aimait tendrement son cousin Tybalt, et moi aussi:
allons, nous sommes nés pour mourir! Il est bien tard, elle ne
descendra plus ce soir. Je vous l'assure, c'est pour jouir
de votre compagnie, sinon je serais dans mon lit depuis
une heure.
PARIS.
Ces temps douloureux ne permettent point de faire sa cour.
Madame, bonne nuit; veuillez me recommander à votre fille.

LADY CAPULET.
10 I will, and know her mind early tomorrow;
Tonight she's mewed up to her heaviness.

Paris offers to go; Capulet calls him again.

CAPULET.
Sir Paris, I will make a desperate tender
Of my child's love: I think she will be ruled
In all respects by me: nay more, I doubt it not.
Wife, go you to her ere you go to bed;
Acquaint her ear of my son Paris' love,
And bid her, mark you me, on Wednesday next—
But soft, what day is this?
PARIS.
Monday, my lord.
CAPULET.
Monday, ha, ha; well, Wednesday is too soon;
20 O' Thursday let it be;—o' Thursday, tell her,
She shall be married to this noble earl.—
Will you be ready? Do you like this haste?
We'll keep no great ado—a friend or two:
For hark you, Tybalt being slain so late,
It may be thought we held him carelessly,
Being our kinsman, if we revel much:
Therefore we'll have some half a dozen friends,
And there an end. But what say you to Thursday?
PARIS.
My lord, I would that Thursday were tomorrow.
CAPULET.
30 Well, get you gone. O' Thursday be it then.
Go you to Juliet ere you go to bed;
Prepare her, wife, against this wedding day.
Farewell, my lord. Light to my chamber, ho!
Afore me, 'tis so very late, that we
May call it early by and by. Goodnight.

[they go.

DAME CAPULET.

Je le ferai, dès demain je saurai ce qu'elle pense; cette nuit, elle est emmurée dans sa tristesse.

CAPULET.

Seigneur Paris,

Je prends sur moi d'offrir l'amour de mon enfant :

Et je crois qu'à tous points de vue elle se laissera guider par moi,

Bien plus, je n'en doute pas!

Ma femme, allez donc chez elle avant de vous coucher,

Faites-lui savoir l'amour de mon fils Paris. Et signifiez-lui

Vous m'entendez? que mercredi — mais au fait quel jour est-ce aujourd'hui?

PARIS.

Lundi, Monseigneur.

CAPULET.

Lundi! Ha, ha! Eh bien, mercredi c'est trop tôt. Disons jeudi. Annoncez-lui qu'elle sera mariée jeudi au noble comte. Tout sera prêt, oui? Cette hâte vous plaît? Nous ne ferons pas de grands embarras. Un ami ou deux. Parce que, n'est-ce pas, Tybalt ayant été tué récemment, on pourrait penser que nous ne tenions guère à lui, si nous faisions par trop de réjouissances, vu qu'il était notre cousin. Alors c'est dit, nous aurons une demi-douzaine d'amis et ce sera tout. — Que dites-vous de jeudi?

PARIS.

Monseigneur, je voudrais que jeudi fût demain.

CAPULET.

Bien, vous pouvez partir; ce sera pour jeudi. — Vous, allez trouver Juliette avant de vous coucher, et encore une fois, ma femme, préparez-la à ce mariage. — Au revoir, Monseigneur. — Et de la lumière dans ma chambre, ho! Pardieu il est si tard, que bientôt nous pourrons dire qu'il est de bonne heure. — Et dormez bien.

Ils sortent.

[III, 5.] Juliet's bedroom: to one side the window above
the Orchard; to the other a door

ROMEO *and* JULIET *stand by the window.*

JULIET.
Wilt thou be gone? It is not yet near day.
It was the nightingale, and not the lark,
That pierced the fearful hollow of thine ear.
Nightly she sings on yond pomegranate tree.
Believe me, love, it was the nightingale.
ROMEO.
It was the lark, the herald of the morn;
No nightingale. Look, love, what envious streaks
Do lace the severing clouds in yonder east.
Night's candles are burnt out, and jocund day
10 Stands tiptoe on the misty mountain tops.
I must be gone and live, or stay and die.
JULIET.
Yond light is not daylight; I know it, I:
It is some meteor that the sun exhaled
To be to thee this night a torchbearer
And light thee on thy way to Mantua.
Therefore stay yet; thou needst not to be gone.
ROMEO.
Let me be ta'en, let me be put to death;
I am content, so thou wilt have it so.
I'll say yon gray is not the morning's eye,
20 'Tis but the pale reflex of Cynthia's brow;
Nor that is not the lark whose notes do beat
The vaulty heaven so high above our heads.
I have more care to stay than will to go:
Come, death, and welcome! Juliet wills it so.
How is't, my soul? Let's talk; it is not day.
JULIET.
It is, it is! Hie hence, be gone, away!
It is the lark that sings so out of tune,
Straining harsh discords and unpleasing sharps.
Some say the lark makes sweet division:

ROMÉO ET JULIETTE

[III, 5.]   La chambre de Juliette

Entrent R O M É O *et* J U L I E T T E .

J U L I E T T E .
Tu veux partir ? Ce n'est pas près d'être le jour.
C'était le rossignol et non pas l'alouette
Qui a percé le fond craintif de ton oreille ;
Il chante la nuit sur ce grenadier,
Crois-moi, amour, c'était le rossignol.

R O M É O .
C'était l'alouette messagère de l'aube
Et non le rossignol ; vois quelles raies jalouses,
Amour,
Brodent sur les nuées en l'orient lointain ;
Les cierges de la nuit sont brûlés, le gai matin
Fait des pointes sur les montagnes embrumées.
Il faut vivre et partir — ou mourir et rester.

J U L I E T T E .
Cette clarté n'est pas le jour, moi je le sais.
C'est quelque météore que le soleil exhale
Pour qu'il soit ton porteur de torche en cette nuit
Et t'éclaire sur ta route de Mantoue.
Oh reste. Tu ne dois pas partir encore.

R O M É O .
Que je sois donc saisi et mis à mort,
Je suis heureux, si c'est ta volonté.
Je dirai que ce gris n'est pas l'œil du matin
Mais seulement le pâle reflet du front de Cynthia ;
Et ce n'est pas non plus l'alouette qui frappe
De ses notes le ciel voûté si haut sur nos têtes.
J'ai plus désir de rester que volonté de partir :
Viens mort, et bienvenue ! Juliette le veut ainsi.
Que dit mon âme ? Parlons encor. Ce n'est pas le jour.

J U L I E T T E .
C'est lui, le jour ! Fuis, va-t'en, va-t'en vite !
Oui c'est bien l'alouette qui chante faux
Et force sa note aiguë et discordante.
On dit que son chant fait de douces divisions,

30 This doth not so, for she divideth us.
Some say the lark and loathèd toad changed eyes;
O now I would they had changed voices too,
Since arm from arm that voice doth us affray,
Hunting thee hence with hunt's-up to the day.
O now be gone! More light and light it grows.
ROMEO.
More light and light, more dark and dark our woes.

'*Enter Nurse hastily*'.

NURSE.
Madam!
JULIET.
Nurse?
NURSE.
Your lady mother is coming to your chamber.
40 The day is broke; be wary, look about.

[*she goes, Juliet bolts the door.*

JULIET.
Then, window, let day in and let life out.
ROMEO.
Farewell, farewell; one kiss, and I'll descend.

[*he lowers the ladder and descends.*

JULIET.
Art thou gone so, love, lord, ay husband, friend?
I must hear from thee every day in the hour,
For in a minute there are many days.
O, by this count I shall be much in years
Ere I again behold my Romeo.
ROMEO [*from the orchard*].
Farewell!
I will omit no opportunity
50 That may convey my greetings, love, to thee.
JULIET.
O, think'st thou we shall ever meet again?

Celle-ci n'en fait pas puisqu'elle nous divise;
On dit que l'alouette et le crapaud hideux
Ont échangé leurs yeux [28]; maintenant je voudrais
Qu'ils eussent fait aussi échange de leurs voix,
Puisque les bras loin des bras, cette voix nous effare,
Te chassant avec la fanfare de chasse du jour.
Oh pars. Il fait plus clair, toujours plus clair.

R O M É O .

Plus clair, toujours plus clair;
Plus noire, toujours plus noire, notre désolation.

> '*Entre précipitamment la Nourrice.*'

L A   N O U R R I C E .

Madame!

J U L I E T T E .

Nourrice?

L A   N O U R R I C E .

Madame votre mère approche de la chambre. Le jour est
levé, soyez prudente, faites attention.

> *Elle sort.*

J U L I E T T E .

Alors fenêtre
Laisse entrer le jour, laisse sortir la vie.

R O M É O .

Adieu, adieu! Un baiser. Je descends.

> *Il descend.*

J U L I E T T E .

Tu pars ainsi? Mon amour seigneur, mon époux amant!
Je veux avoir de tes nouvelles à toute heure chaque jour
Car en une minute il y a bien des jours
Et à ce compte je serai vieille de beaucoup d'années
Avant que je revoie mon Roméo!

R O M É O .

Adieu!
Je ne perdrai pas une occasion
D'envoyer mon salut vers toi, ô mon amour.

J U L I E T T E .

Crois-tu, crois-tu que jamais nous nous reverrons?

III. 5   52

ROMEO.
I doubt it not; and all these woes shall serve
For sweet discourses in our times to come.
  JULIET.
O God, I have an ill-divining soul!
Methinks I see thee, now thou art so low,
As one dead in the bottom of tomb.
Either my eyesight fails or thou look'st pale.
  ROMEO.
And trust me, love, in my eye so do you.
Dry sorrow drinks our blood. Adieu, adieu!

[he goes.

    JULIET.
60 O Fortune, Fortune, all men call thee fickle;
If thou art fickle, what dost thou with him
That is renowned for faith? Be fickle, Fortune:
For then I hope thou wilt not keep him long,
But send him back.
        LADY CAPULET: [withouts the door].
                    Ho, daughter, are you up?
        JULIET [pulls up and conceal the ladder].
Who is't that calls? It is my lady mother.
Is she not down so late, or up so early?
What unaccustomed cause procures her hither?

                    [she unlocks the door.
                    Enter Lady Capulet.

    LADY CAPULET.
Why, how now, Juliet?
    JULIET.
                    Madam, I am not well.
    LADY CAPULET.
Evermore weeping for your cousin's death?
70 What, wilt thou wash him from his grave with tears?
An if thou couldst, thou couldst not make him live:
Therefore have done—some grief shows much of love,
But much of grief shows still some want of wit.

ROMÉO.

J'en suis certain; et toutes ces peines serviront
A nos doux souvenirs, dans le temps à venir.

JULIETTE.

O mon Dieu! J'ai une âme de pressentiment.
Il me semble, à présent que te voilà si bas,
Te voir comme un mort dans le fond d'une tombe :
Ou je vois trouble ou tu es pâle extrêmement.

ROMÉO.

Amour, crois-moi, tu es aussi pâle à mes yeux.
La douleur assoiffée boit notre sang. Adieu!
Adieu.

Il sort.

JULIETTE.

O fortune, ô fortune! tous les hommes t'appellent
Inconstante, ô fortune. Si tu es inconstante
Que fais-tu avec lui, renommé pour sa fidélité?
Fortune sois inconstante, et alors je pourrai
Espérer que tu ne le garderas pas un trop long temps,
Que tu me le rendras!

DAME CAPULET.

Ma fille, êtes-vous levée?

JULIETTE.

Qui appelle? Ma mère?
Si tard n'est-elle pas couchée, ou si tôt levée?
Quelle raison inaccoutumée la fait venir?

Entre Dame Capulet.

DAME CAPULET.

Alors, comment va, Juliette?

JULIETTE.

Madame, je ne me sens pas bien.

DAME CAPULET.

Toujours pleurant sur la mort du cousin?
Quoi, veux-tu l'extraire avec tes larmes de son tombeau?
Et quand même tu le pourrais tu ne le ferais pas revivre,
Aussi n'y pense plus; un peu de chagrin prouve beaucoup
   d'amour
Mais beaucoup de chagrin montre trop peu d'esprit.

III, 5. 74

JULIET.
Yet let me weep for such a feeling loss.
    LADY CAPULET.
So shall you feel the loss, but not the friend
Which you weep for.
    JULIET.
                Feeling so the loss,
I cannot choose but ever weep the friend.
    LADY CAPULET.
Well, girl, thou weep'st not so much for his death,
As that the villain lives which slaughtered him.
    JULIET.
80 What villain, madam?
    LADY CAPULET.
                That same villain Romeo.
    (JULIET.
Villain and he be many miles asunder.
[aloud] God pardon him, I do with all my heart:
And yet no man like he doth grieve my heart.
    LADY CAPULET.
That is because the traitor murderer lives.
    JULIET.
Ay, madam, from the reach of these my hands.
Would none but I might venge my cousin's death!
    LADY CAPULET.
We will have vengeance for it, fear thou not.
Then weep no more. I'll send to one in Mantua,
Where that same banished runagate doth live,
90 Shall give him such an unaccustomed dram
That he shall soon keep Tybalt company;
And then I hope thou wilt be satisfied.
    JULIET.
Indeed I never shall be satisfied
With Romeo till I behold him—dead—
Is my poor heart so for a kinsman vexed.
Madam, if you could find out but a man
To bear a poison, I would temper it
That Romeo should upon receipt thereof
Soon sleep in quiet. O how my heart abhors

JULIETTE.
Pourtant laissez-moi pleurer
Une perte aussi sensible.
DAME CAPULET.
Alors vous sentirez la perte,
Non plus l'ami que vous pleurez.
JULIETTE.
Sentant si fort la perte
Je ne saurais choisir et pleure toujours l'ami.
DAME CAPULET.
Ma fille, ce n'est point tant pour sa mort que vous pleurez
Mais parce que le misérable qui l'a tué est vivant encore!
JULIETTE.
Madame, quel misérable?
DAME CAPULET.
                    Mais ce misérable Roméo!
(JULIETTE.
Misérable et lui sont écartés par mille lieues! —
(à haute voix) Que Dieu pardonne. Je le fais de grand cœur.
Pourtant nul homme n'a fait ainsi souffrir mon cœur.
DAME CAPULET.
C'est que le traître meurtrier est encor vivant!
JULIETTE.
Oui Madame, et hors d'atteinte de mes mains :
Si je pouvais, moi seule, venger la mort de mon cousin!
DAME CAPULET.
Nous aurons notre vengeance, n'ayez pas peur.
Alors ne pleurez plus. J'enverrai à Mantoue
Où doit vivre ce renégat et ce banni,
Quelqu'un pour lui donner une boisson bizarre
A tel point qu'il ira tenir à Tybalt compagnie.
Et alors vous serez contente, j'espère bien.
JULIETTE.
Je ne serai jamais contente avec Roméo
Avant de l'avoir revu, — mort —
Est mon pauvre cœur pour mon parent frappé.
Madame, si vous pouviez trouver un homme
Qui portât le poison, je le préparerais
Si bien que Roméo l'ayant reçu
Dormirait vite en paix. Oh que mon cœur abhorre

III, 5. 100

100 To hear him named and cannot come to him
To wreak the love I bore my cousin
Upon his body that hath slaughtered him.
        LADY   CAPULET.
Find thou the means and I'll find such a man.
But now I'll tell thee joyful tidings, girl.
        JULIET.
And joy comes well in such a needy time.
What are they, I beseech your ladyship?
        LADY   CAPULET.
Well, well, thou hast a careful father, child;
One who, to put thee from thy heaviness,
Hath sorted out a sudden day of joy
110 That thou expects not, nor I looked not for.
        JULIET.
Madam, in happy time! What day is that?
        LADY   CAPULET.
Marry, my child, early next Thursday morn
The gallant, young, and noble gentleman,
The County Paris, at Saint Peter's Church
Shall happily make thee there a joyful bride.
        JULIET.
Now by Saint Peter's Church, and Peter too,
He shall not make me there a joyful bride.
I wonder at this haste, that I must wed
Ere he that should be husband comes to woo.
120 I pray you tell my lord and father, madam,
I will not marry yet; and when I do, I swear
It shall be Romeo, whom you know I hate,
Rather than Paris. These are news indeed!
        LADY   CAPULET.
Here comes your father; tell him so yourself,
And see how he will take it at your hands.

                        '*Enter Capulet and Nurse*'.

De l'entendre nommer, et ne pouvoir aller
Vers lui pour assouvir l'amour que je portais
A mon cousin Tybalt, sur le corps qui l'a tué!

DAME CAPULET.

Trouvez donc le moyen, moi je trouverai l'homme.
Mais à présent, ma fille,
Je vous apprendrai de joyeuses nouvelles.

JULIETTE.

La joie vient à propos en un si pauvre temps.
Et quelles sont-elles?
Je supplie votre seigneurie de me les dire?

DAME CAPULET.

Oui tu as un père prévoyant, ma chère enfant,
Qui a trouvé pour te tirer de ta tristesse
Une journée inattendue de joie
Que tu n'espérais pas, et que moi-même
Je ne prévoyais pas.

JULIETTE.

Madame, c'est fort heureux, quelle est cette journée?

DAME CAPULET.

Par Marie, mon enfant, jeudi de bon matin
Le galant, jeune et noble gentilhomme
Comte Paris, à l'église Saint-Pierre
Heureusement fera de toi une joyeuse épouse.

JULIETTE.

Alors par l'église Saint-Pierre et saint Pierre aussi,
Là il ne fera point de moi sa joyeuse épouse!
Je m'étonne de cette hâte; et que je doive me marier
Avant que celui qui serait mon époux m'ait fait sa cour.
Je vous prie, dites à mon seigneur et père
Que je ne veux pas encore me marier;
Et si je le fais, j'assure que ce serait plutôt
Avec Roméo, que je hais vous le savez,
Qu'avec Paris. En vérité voilà des nouvelles!

DAME CAPULET.

Voici votre père; dites-lui ça vous-même,
Et vous verrez comment il prend la chose, venant de vous.

'*Entrent Capulet et la Nourrice.*'

CAPULET.
When the sun sets, the air doth drizzle dew;
But for the sunset of my brother's son
It rains downright.
How now, a conduit, girl? What, still in tears?
130 Evermore showering? In one little body
Thou counterfeits a bark, a sea, a wind:
For still thy eyes, which I may call the sea,
Do ebb and flow with tears; the bark thy body is,
Sailing in this salt flood; the winds thy sighs,
Who raging with thy tears, and they with them,
Without a sudden calm will overset
Thy tempest-tossèd body. How now, wife?
Have you delivered to her our decree?
LADY CAPULET.
Ay, sir; but she will none, she gives you thanks.
140 I would the fool were married to her grave!
CAPULET.
Soft, take me with you, take me with you, wife.
How? Will she none? Doth she not give us thanks?
Is she not proud? Doth she not count her blest,
Unworthy as she is, that we have wrought
So worthy a gentleman to be her bride?
JULIET.
Not proud you have, but thankful that you have.
Proud can I never be of what I hate,
But thankful even for hate that is meant love.
CAPULET.
How how, how how, chop-logic, what is this?
150 'Proud', and 'I thank you', and 'I thank you not',
And yet 'not proud', mistress minion you?
Thank me no thankings nor proud me no prouds,
But fettle your fine joints 'gainst Thursday next
To go with Paris to Saint Peter's Church,
Or I will drag thee on a hurdle thither.

CAPULET.

Après le coucher du soleil, l'air est couvert de rosée;
Mais après le couchant de l'enfant de mon frère
Il pleut, en vérité!
Et alors? Une gargouille, ma fille? Encore en larmes?
Encore et toujours des averses? Dans un petit corps comme ça
Tu veux imiter une barque, une mer, et aussi le vent?
Car tes yeux, je peux aussi bien dire que c'est la mer
Faisant avec les larmes le flux et le reflux;
La barque, c'est ton corps voguant sur l'eau salée, le vent
   tes soupirs
Qui rageant contre tes larmes, tes larmes rageant contre eux,
A moins d'une accalmie soudaine, vont renverser
Ton corps brisé par la tempête!
Allons! allons donc, ma femme!
Lui avez-vous donné connaissance de nos volontés?

DAME CAPULET.

Oui, Monsieur, mais elle ne veut pas, elle vous remercie.
Je voudrais que la sotte épousât son tombeau.

CAPULET.

Tout doux! Répétez-moi, répétez-moi, ma femme.
Comment, elle ne veut pas? Elle ne nous adresse pas
Ses remerciements? Et ne se sent pas fière?
Elle ne s'estime pas bénie, indigne qu'elle est,
Quand nous lui fabriquons un si digne seigneur
Pour lui servir d'époux?

JULIETTE.

Fière, je ne le suis pas, mais bien reconnaissante.
Fière je ne puis l'être de ce que je hais,
Mais je suis reconnaissante pour la haine même
Qui a comme intention l'amour.

CAPULET.

Et alors, et alors? Et alors, casse-logique?
Qu'est-ce que ça veut dire?
« Fière » et « je remercie » et « je ne remercie pas »
Et avec ça « pas fière »! Vous, maîtresse mignonne,
Laissez-moi vos remerciements et rengainez-moi vos fiertés
Mais préparez vos beaux jarrets pour jeudi prochain
Afin d'aller avec Paris jusqu'à Saint-Pierre,
Ou je vous y traînerai plutôt sur une claie!

III, 5. 156

Out, you green-sickness carrion! out, you baggage!
You tallow-face!

LADY CAPULET.
                    Fie, fie! what, are you mad?

JULIET [*kneeling*].
Good father, I beseech you on my knees,
Hear me with patience but to speak a word.

CAPULET.
160 Hang thee, young baggage! disobedient wretch!
I tell thee what; get thee to church o' Thursday,
Or never after look me in the face.
Speak not, reply not, do not answer me!
My fingers itch. Wife, we scarce thought us blest
That God had lent us but this only child;
But now I see this one is one too much,
And that we have a curse in having her.
Out on her, hilding!

NURSE.
                    God in heaven bless her!
You are to blame, my lord, to rate her so.

CAPULET.
170 And why, my Lady Wisdom? Hold your tongue,
Good Prudence. Smatter with your gossips, go!

NURSE.
I speak no treason.

CAPULET.
                    O Godigoden!

NURSE.
May not one speak?

CAPULET.
                    Peace, you mumbling fool!
Utter your gravity o'er a gossip's bowl,
For here we need it not.

LADY CAPULET.
                    You are too hot.

CAPULET.
God's bread! it makes me mad. Day, night, work, play,

Hors d'ici, pâle charogne! hors d'ici saleté!
Face de carême!
>   DAME CAPULET.
Oh fi! Voyons, est-ce que vous êtes fou ?
>   JULIETTE.
Mon bon père, je vous en supplie à genoux,
Avec patience écoutez-moi vous dire un mot.
>   CAPULET.
Va te pendre, saleté de fille! Désobéissante créature.
Jeudi à l'église! ou ne me regarde plus jamais en face.
Et ne parle pas, ne réplique pas, ne réponds pas :
Les doigts me démangent.
Femme, nous avions pensé que nous n'étions pas trop bénis
Puisque Dieu nous avait envoyé cette unique fille,
Mais je vois que cette seule fille est une de trop
Et que nous l'avons reçue pour notre malédiction.
Arrière, salope!
>   LA NOURRICE.
>   Dieu du ciel, bénis-la! —
C'est bien mal à vous, Monseigneur, de l'arranger comme
>   vous faites.
>   CAPULET.
Et pourquoi ça, Dame Sagesse ? Tenez votre langue,
Mère Prudence, allez jacasser avec vos commères, allez!
>   LA NOURRICE.
Je ne dis rien de mauvais.
>   CAPULET.
>   Hé, Dieu vous foute le bonsoir!
>   LA NOURRICE.
Alors on ne peut plus parler ?
>   CAPULET.
>   La paix, vieille folle radoteuse!
Sortez vos gravités devant un plat de commères,
Ici on n'en a pas besoin.
>   DAME CAPULET.
>   Vous vous échauffez.
>   CAPULET.
Pain de Dieu! On me rendra fou.
Le jour, la nuit, en toute heure, toute saison, en tout temps,
>   tout moment,

III, 5. 177

Alone, in company, still my care hath been
To have her matched; and having now provided
A gentleman of noble parentage,
180 Of fair demesnes, youthful and nobly trained,
Stuffed, as they say, with honourable parts,
Proportioned as one's thought would wish a man—
And then to have a wretched puling fool,
A whining mammet, in her fortune's tender,
To answer 'I'll not wed, I cannot love;
I am too young, I pray you pardon me'.
But, an you will not wed, I'll pardon you—
Graze where you will; you shall not house with me.
Look to't, think on't; I do not use to jest.
190 Thursday is near. Lay hand on heart; advise.
An you be mine, I'll give you to my friend;
An you be not, hang, beg, starve, die in the streets,
For by my soul I'll ne'er acknowledge thee,
Nor what is mine shall never do thee good:
Trust to 't; bethink you; I'll not be forsworn.

[he goes.

JULIET.
Is there no pity sitting in the clouds
That sees into the bottom of my grief?
O sweet my mother, cast me not away!
Delay this marriage for a month, a week;
200 Or, if you do not, make the bridal bed
In that dim monument where Tybalt lies.
LADY CAPULET.
Talk not to me, for I'll not speak a word;
Do as thou wilt, for I have done with thee.

[she goes.

Au travail comme au jeu, seul ou en compagnie, je n'avais
    qu'un souci :
La marier; et maintenant que j'ai bien préparé
Un gentilhomme de noble parenté,
Jeune, ayant de beaux biens, dignement élevé,
Bourré comme on dit de bonnes qualités
Et aussi bien proportionné que n'importe qui puisse vouloir
    un homme!
Voir une pauvre folle pleurnicheuse, une gémissante poupée
Déclarer quand on lui annonce son bonheur :
« Je ne veux pas me marier. Je ne peux pas encore aimer.
Je suis trop jeune. Je vous prie de me pardonner »!
Mais, si vous ne voulez pas vous marier, oui je vais vous
    pardonner —
D'aller paître où ça vous plaira,
Vous ne vivrez plus sous mon toit!
Réfléchissez et pensez-y, vous le savez,
Moi je n'ai pas pour habitude de plaisanter.
Jeudi est proche. La main sur le cœur, avisez.
Si vous êtes ma fille, alors, je vous donnerai à mon ami.
Et si vous n'êtes pas ma fille, pendez-vous, mendiez, crevez
    de faim,
Par mon âme, je ne vous reconnaîtrai point
Et rien de ce qui est mien ne sera jamais votre bien.
Croyez ça, et pensez-y bien, car moi je n'en démordrai pas!

Il sort.

JULIETTE.
Il n'y a donc aucune pitié parmi les nuages
Qui voie dans la profondeur de ma douleur ?
O vous ma bonne mère, ne me repoussez pas.
Retardez ce mariage d'un mois, d'une semaine,
Ou si vous ne pouvez, mettez mon lit nuptial
Dans ce monument sombre où Tybalt est couché.
DAME CAPULET.
Ne me parle plus, je ne dis plus un mot.
Fais à ta guise; car j'en ai fini avec toi.

Elle sort.

III, 5. 204

JULIET.
O God!—O nurse, how shall this be prevented?
My husband is on earth, my faith in heaven;
How shall that faith return again to earth,
Unless that husband send it me from heaven
By leaving earth? Comfort me, counsel me.
Alack, alack, that heaven should practise stratagems
210 Upon so soft a subject as myself!
What sayst thou? Hast thou not a word of joy?
Some comfort, nurse.
    NURSE.
                  Faith, here it is. Romeo
Is banishéd; and all the world to nothing
That he dares ne'er come back to challenge you;
Or, if he do, it needs must be by stealth.
Then, since the case so stands as now it doth,
I think it best you married with the County.
O, he's a lovely gentleman!
Romeo's a dishclout to him. An eagle, madam,
220 Hath not so green, so quick, so fair an eye
As Paris hath. Beshrew my very heart,
I think you are happy in this second match,
For it excels your first; or, if it did not,
Your first is dead—or 'twere as good he were
As living here and you no use of him.
    JULIET.
Speakst thou from thy heart?
    NURSE.
And from my soul too; else beshrew them both.
    JULIET.
Amen!
    NURSE.
What?
    JULIET.
230 Well, thou hast comforted me marvellous much.
Go in and tell my lady I am gone,
Having displeased my father, to Lawrence' cell
To make confession and to be absolved.

JULIETTE.

O Dieu! — Nourrice, comment puis-je l'empêcher?
Mon époux est sur terre, ma foi est dans le ciel;
Comment cette foi pourrait-elle revenir sur terre
Tant que mon époux ne me l'aura point renvoyée du ciel
Ayant lui-même quitté la terre?
Console-moi, conseille-moi.
Hélas, le Ciel peut-il donc user de tels stratagèmes
Contre une créature aussi faible que moi?
Que dis-tu? N'as-tu pas une petite parole de joie?
Donne un encouragement, Nourrice.

LA NOURRICE.

Ma foi je dis ceci: Roméo
Est banni; et je parie le monde entier pour rien
Que jamais il n'osera venir vous réclamer;
Ou s'il le fait, il faudra que ce soit à la dérobée!
Alors puisque le cas est à présent comme ça
Il vaut mieux, que je crois, vous marier au comte.
Oh c'est un bien joli monsieur; et Roméo
N'est qu'une lavette auprès de lui; Madame, un aigle
N'a pas l'œil aussi vert, aussi vif, aussi beau
Que l'a Paris. Et maudit soit mon cœur,
Je crois que vous serez heureuse en ce deuxième engagement
Car il surpasse le premier! Et en serait-il autrement
Votre premier est mort, ou il vaudrait mieux qu'il soit mort
Plutôt que vous vivant ici sans pouvoir vous en servir!

JULIETTE.

Parles-tu du fond de ton cœur?

LA NOURRICE.

                    Et du fond de mon âme aussi,
Ou je sois maudite, âme et cœur!

JULIETTE.

                    Amen!

LA NOURRICE.

                    Quoi?

JULIETTE.

Oui tu m'as consolée merveilleusement.
Rentre. Et dis à ma mère que je suis allée,
Ayant mécontenté mon père, à la cellule de Laurent
Pour me confesser et recevoir l'absolution.

III, 5. 234

NURSE.
Marry, I will; and this is wisely done.

[*she goes.*

JULIET.
Ancient damnation! O most wicked fiend!
Is it more sin to wish me thus forsworn,
Or to dispraise my lord with that same tongue
Which she hath praised him with above compare
So many thousand times? Go, counsellor!
240 Thou and my bosom henceforth shall be twain,
I'll to the friar to know his remedy.
If all else fail, myself have power to die.

[*she goes.*

[IV, I.]   Friar Lawrence's cell

'*Enter* FRIAR *and County* PARIS'.

FRIAR.
On Thursday, sir? The time is very short.
PARIS.
My father Capulet will have it so,
And I am nothing slow to slack his haste.
FRIAR.
You say you do not know the lady's mind?
Uneven is the course; I like it not.
PARIS.
Immoderately she weeps for Tybalt's death,
And therefore have I little talked of love,
For Venus smiles not in a house of tears.
Now, sir, her father counts it dangerous
10 That she do give her sorrow so much sway,
And in his wisdom hastes our marriage
To stop the inundation of her tears,
Which, too much minded by herself alone,
May be put from her by society.
Now do you know the reason of this haste.

LA NOURRICE.
Sainte Marie, j'y vais; vous faites bien sagement.

Elle sort.

JULIETTE.
Vieille malédiction! Ah le méchant démon!
Où est le plus grand péché : me vouloir ainsi parjure
Ou calomnier mon seigneur avec cette langue
Qui l'a loué par-dessus tout au monde
Tant de milliers de fois! Va, conseillère,
Toi et mon cœur désormais seront deux.
J'irai chez le frère, lui demander remède,
Et si tout m'abandonne, j'ai le pouvoir de mourir.

Elle sort.

[IV, I.]   La cellule de Frère Laurent

'*Entrent* FRÈRE LAURENT *et* LE COMTE PARIS.'

FRÈRE LAURENT.
Jeudi, Monsieur? Le temps est vraiment court.
PARIS.
Ainsi le veut mon beau-père Capulet.
Il n'y a rien en moi pour retarder sa hâte.
FRÈRE LAURENT.
Vous dites ignorer les pensées de la dame :
Le procédé n'est pas bien droit, je ne l'aime pas.
PARIS.
Elle pleure sans répit la mort de son cousin
Et c'est pourquoi je lui ai peu parlé d'amour,
Car Vénus ne sourit pas dans une maison de larmes.
Or son père, Monsieur, estime dangereux
Qu'elle donne si grand empire à son chagrin;
Avec sagesse il veut hâter notre mariage
Pour arrêter l'inondation des larmes
Qui favorisée par la solitude
Pourrait être refoulée par les plaisirs de société.
Vous savez à présent les raisons de la hâte.

IV, 1. 16

(FRIAR.
I would I knew not why it should be slowed—
Look, sir, here comes the lady toward my cell.

'*Enter Juliet*'.

PARIS.
Happily met, my lady and my wife!
JULIET.
That may be, sir, when I may be a wife.
PARIS.
20 That 'may be' must be, love, on Thursday next.
JULIET.
What must be shall be.
FRIAR.
                    That's a certain text.
PARIS.
Come you to make confession to this father?
JULIET.
To answer that, I should confess to you.
PARIS.
Do not deny to him that you love me.
JULIET.
I will confess to you that I love him.
PARIS.
So will ye, I am sure, that you love me.
JULIET.
If I do so, it will be of more price,
Being spoke behind your back, than to your face.
PARIS.
Poor soul, thy face is much abused with tears.
JULIET.
30 The tears have got small victory by that,
For it was bad enough before their spite.
PARIS.
Thou wrong'st it more than tears with that report.
JULIET.
That is no slander, sir, which is a truth;
And what I spake, I spake it to my face.
PARIS.
Thy face is mine, and thou hast sland'red it.

(FRÈRE LAURENT.
Et je voudrais ne pas savoir pourquoi faut-il tant retarder.
— Voyez, Monsieur, la dame vient vers ma cellule.

'Entre Juliette.'

PARIS.
Rencontre heureuse, ô vous ma dame et mon épouse !
JULIETTE.
Cela pourra être, Monsieur, quand je pourrai être épouse.
PARIS.
Ce « pourra être » devra être, mon amour, jeudi prochain
JULIETTE.
Ce qui doit être sera.
FRÈRE LAURENT.
Voilà qui est bien certain.
PARIS.
Venez-vous pour vous confesser à ce bon père ?
JULIETTE.
Vous répondre serait me confesser à vous.
PARIS.
Ne lui niez pas que vous m'aimez.
JULIETTE.
Je vous confesserai que je l'aime.
PARIS.
Et aussi j'en suis certain, vous lui direz que vous m'aimez.
JULIETTE.
Cela aura bien plus de prix, si je le fais,
Dit derrière votre dos, non devant votre face.
PARIS.
Ma pauvre âme, ta face est bien injuriée par les pleurs.
JULIETTE.
Les pleurs ont gagné de faibles victoires
Car ma face était laide avant leur méchanceté.
PARIS.
Ces mots lui font plus grande injure que tes pleurs.
JULIETTE.
Ce qui est vérité n'est point calomnie;
Monsieur, ce que j'ai dit je l'ai dit à ma face.
PARIS.
Ta face est à moi, et tu l'as calomniée.

IV, I. 36

JULIET.
It may be so, for it is not mine own.—
Are you at leisure, holy father, now,
Or shall I come to you at evening mass?
    FRIAR.
My leisure serves me, pensive daughter, now.
40 My lord, we must entreat the time alone.
    PARIS.
God shield I should disturb devotion!
Juliet, on Thursday early will I rouse ye;
Till then adieu, and keep this holy kiss.

> [*kisses her, and departs.*

JULIET.
O shut the door, and, when thou hast done so,
Come weep with me—past hope, past cure, past help.
    FRIAR.
O Juliet, I already know thy grief;
It strains me past the compass of my wits.
I hear thou must, and nothing may prorogue it,
On Thursday next be married to this County.
    JULIET.
50 Tell me not, friar, that thou hearest of this,
Unless thou tell me how I may prevent it.
If in thy wisdom thou canst give no help,
Do thou but call my resolution wise
And with this knife I'll help it presently.
God joined my heart and Romeo's, thou our hands;
And ere this hand, by thee to Romeo's sealed,
Shall be the label to another deed,
Or my true heart with treacherous revolt
Turn to another, this shall slay them both:
60 Therefore, out of thy long-experienced time,
Give me some present counsel; or, behold,
'Twixt my extremes and me this bloody knife
Shall play the umpire, arbitrating that
Which the commission of thy years and art
Could to no issue of true honour bring.
Be not so long to speak: I long to die
If what thou speak'st speak not of remedy.

JULIETTE.
Il se peut, car elle n'est pas à moi. —
Êtes-vous disposé maintenant, saint père,
Ou devrai-je revenir à la messe du soir?
    FRÈRE LAURENT.
Je suis disposé maintenant, fille pensive.
Monseigneur, nous vous demandons à être seuls.
    PARIS.
Dieu me préserve de troubler la dévotion!
Juliette, je vous réveille jeudi de bon matin.
Jusqu'à ce jour, adieu, gardez ce pieux baiser.

Il sort.

    JULIETTE.
Oh fermez la porte, et quand vous l'aurez fermée
Venez pleurer avec moi; plus d'espoir, plus de remède,
Plus de secours!
    FRÈRE LAURENT.
Ah Juliette, je connais déjà ton chagrin.
Il dépasse l'étendue de mon esprit;
J'apprends que tu dois, et rien ne peut le reculer,
Être mariée à ce comte jeudi prochain.
    JULIETTE.
Ne dites pas, frère, que vous l'apprenez
Tant que vous ne direz pas comment je puis l'empêcher!
Si dans votre sagesse vous ne pouvez me prêter aide
Alors appelez sage ma résolution
Et avec ce couteau j'y aiderai moi-même.
Dieu a joint mon cœur au cœur de Roméo
Et vous nos mains; avant que cette main scellée par vous
A Roméo soit le sceau d'un contrat nouveau
Et que mon vrai cœur par traîtrise et révolte
Vers un autre se tourne, ah ceci les tuera!
Ainsi par la vertu d'une longue expérience
Donnez-moi conseil aussitôt, ou regardez:
Entre l'extrémité de ma douleur et moi
Ce couteau sanglant sera juge et décidera
Sur ce que l'autorité de vos années et de votre art
N'auront pu conduire au véritable honneur.
Ne tardez pas tant à parler! Je languis de mourir
Si ce n'est point le remède que vous allez dire.

IV, I. 68

FRIAR.
Hold, daughter. I do spy a kind of hope,
Which craves as desperate an execution
70 As that is desperate which we would prevent.
If, rather than to marry County Paris,
Thou hast strength of will to slay thyself,
Then is it likely thou wilt undertake
A thing like death to chide away this shame,
That copest with death himself to scape from it;
And, if thou darest, I'll give thee remedy.
JULIET.
O bid me leap, rather than marry Paris,
From off the battlements of any tower,
Or walk in thievish ways, or bid me lurk
80 Where serpents are; chain me with roaring bears,
Or hide me nightly in a charnel house,
O'ercovered quite with dead men's rattling bones,
With reeky shanks and yellow chapless skulls;
Or bid me go into a new-made grave
And lay me with a dead man in his shroud—
Things that, to hear them told, have made me tremble—
And I will do it without fear or doubt,
To live an unstained wife to my sweet love.
FRIAR.
Hold, then. Go home, be merry, give consent
90 To marry Paris. Wednesday is tomorrow.
Tomorrow night look that thou lie alone,
Let not the nurse lie with thee in thy chamber.
Take thou this vial, being then in bed,
And this distilléd liquor drink thou off,
When presently through all thy veins shall run
A cold and drowsy humour, for no pulse
Shall keep his native progress, but surcease;
No warmth, no breath, shall testify thou livest;
The roses in thy lips and cheeks shall fade
100 To wanny ashes, thy eyes' windows fall
Like death when he shuts up the day of life.

FRÈRE LAURENT.

Arrête, fille; j'épie une sorte d'espoir
Qui réclame une exécution tout aussi désespérée
Qu'est désespéré ce que nous voulons prévenir.
Puisque, pour ne point te marier au comte Paris
Tu aurais l'énergie de vouloir te tuer,
Alors sans doute auras-tu courage d'affronter
Une chose égale à la mort, pour écarter le déshonneur
Et de lutter avec la mort même pour échapper.
Si tu l'oses, je te donnerai le remède.

JULIETTE.

Oh, plutôt que d'épouser Paris, ordonne-moi
De m'élancer du haut des créneaux d'une tour,
Ou d'aller sur les chemins avec les voleurs;
Ordonne-moi de me cacher où sont les serpents;
Enchaîne-moi au milieu des ours rugissants;
Enferme-moi pendant la nuit dans l'ossuaire
Tout rempli par les os des morts qui s'entre-choquent
Avec les tibias pourris, les crânes sans mâchoire jaunis.
Dis-moi d'entrer dans une tombe fraîchement creusée
Pour me cacher avec un mort sous son linceul!
Choses telles, que les entendre raconter m'a fait frémir.
Je les ferai sans craindre et sans hésiter
Pour vivre épouse intacte de mon doux aimé.

FRÈRE LAURENT.

Écoute alors. Rentre à la maison et sois gaie,
Et dis que tu consens à épouser Paris.
Mercredi c'est demain; demain soir, veille à te coucher seule,
Éloigne la Nourrice de ta chambre.
Prends cette fiole, et étant dans ton lit
Absorbe cette liqueur distillée;
Alors aussitôt dans toutes tes veines
Coulera une humeur froide assoupissante.
Car nulle pulsation ne gardera son cours, tout s'arrêtera;
Aucune chaleur, aucun souffle
N'attesteront que tu existes;
Les roses sur ta bouche et tes joues flétriront
En cendre pâle et les volets des yeux tomberont.
Ce sera comme la mort
Fermant le jour de la vie.

IV, I. 102

Each part, deprived of supple government,
Shall stiff and stark and cold appear like death;
And in this borrowed likeness of shrunk death
Thou shalt continue two and forty hours,
And then awake as from a pleasant sleep.
Now, when the bridegroom in the morning comes
To rouse thee from thy bed, there art thou dead.
Then, as the manner of our country is,
110 In thy best robes, uncovered on the bier,
Thou shalt be borne to that same ancient vault
Where all the kindred of the Capulets lie.
In the meantime, against thou shalt awake,
Shall Romeo by my letters know our drift,
And hither shall he come; and he and I
Will watch thy waking, and that very night
Shall Romeo bear thee hence to Mantua.
And this shall free thee from this present shame,
If no inconstant toy nor womanish fear
120 Abate thy valour in the acting it.
 J U L I E T.
Give me, give me! O tell not me of fear!
 F R I A R.
Hold, get you gone! Be strong and prosperous
In this resolve. I'll send a friar with speed
To Mantua with my letters to thy lord.
 J U L I E T.
Love give me strength! and strength shall help afford.
Farewell, dear father.

            [they go.

[IV, 2.]   Capulet's house

Enter C A P U L E T, L A D Y C A P U L E T, N U R S E *and
           two or three Servingmen.*

 C A P U L E T *[giving a paper].*
So many guests invite as here are writ.
         [Servingman goes out.

Chaque membre, privé de son souple pouvoir,
Raide et dur et froid, paraîtra mort.
Et sous cet affreux aspect pris à la mort
Tu demeureras quarante-deux heures
Pour t'éveiller enfin comme d'un doux sommeil.
Donc quand ton fiancé viendra vers le matin
Pour te réveiller dans ton lit, tu seras morte :
Alors, comme c'est l'usage en notre contrée,
Sous tes plus belles robes dans une bière ouverte
Tu seras portée à l'ancien caveau
Où repose toute la famille des Capulet.
Et cependant, avant que tu sois éveillée,
Roméo par mes lettres connaîtra le plan
Et vite il reviendra; et lui et moi
Nous surveillerons ton réveil et cette nuit-là
Roméo t'emportera jusqu'à Mantoue.
Voilà qui te délivrera du déshonneur
Si nul faible caprice ou féminine frayeur
N'abattent ton courage à l'heure décisive.
    J U L I E T T E .
Donne, donne-moi! Oh ne parle pas de frayeur.
    F R È R E   L A U R E N T .
Tiens. Pars maintenant. Sois forte et sois heureuse
En ta résolution. Moi j'envoie à Mantoue
Un frère avec une lettre à ton seigneur.
    J U L I E T T E .
Amour, donne-moi force! Force donnera secours.
Adieu, ô mon cher père.

Ils sortent.

[IV, 2.]   La maison de Capulet

Entrent C A P U L E T ,   D A M E   C A P U L E T ,   L A   N O U R R I C E
et deux serviteurs.

    C A P U L E T .
Invite toutes les personnes inscrites là-dessus.

Le premier serviteur sort.

IV, 2. 2

[*to another*] Sirrah, go hire me twenty cunning cooks.
SERVINGMAN.
You shall have none ill, sir; for I'll try if they can lick their
fingers.
CAPULET.
How canst thou try them so?
SERVINGMAN.
Marry, sir, 'tis an ill cook that cannot lick his own fingers:
therefore he that cannot lick his fingers goes not with me.
CAPULET.
Go, be gone.

[*he goes.*

We shall be much unfurnished for this time.
10 What, is my daughter gone to Friar Lawrence?
NURSE.
Ay, forsooth.
CAPULET.
Well, he may chance to do some good on her.
A peevish self-willed harlotry it is.

'*Enter Juliet*'.

NURSE.
See where she comes from shrift with merry look.
CAPULET.
How now, my headstrong? Where have you been gadding?
JULIET.
Where I have learned me to repent the sin
Of disobedient opposition
To you and your behests, and am enjoined
By holy Lawrence to fall prostrate here
20 To beg your pardon. [*abasing herself*]. Pardon I beseech you!
Henceforward I am ever ruled by you.
CAPULET.
Send for the County: go tell him of this.
I'll have this knot knit up tomorrow morning.
JULIET.
I met the youthful lord at Lawrence' cell

Et toi, faquin, va m'engager vingt cuisiniers habiles.

DEUXIÈME SERVITEUR.

Vous n'en aurez pas un de mauvais, M'sieur, je vas essayer
voir s'ils savent se lécher les doigts.

CAPULET.

Qu'est-ce que tu essaieras comme ça ?

DEUXIÈME SERVITEUR.

Par la Sainte Vierge, M'sieur, c'est un mauvais cuisinier celui
qui ne sait pas se lécher les doigts ! Alors celui qui ne sait pas
se lécher les doigts, il ne viendra pas avec moi.

CAPULET.

C'est bon, va-t'en.

Le deuxième serviteur sort.

Cette fois, nous allons être pris au dépourvu ! Et ma fille,
elle est allée chez le Frère Laurent ?

LA NOURRICE.

Oui bien sûr.

CAPULET.

Bon, bon, il lui fera peut-être un peu de bien. C'est une petite
garce butée et entêtée.

'*Entre Juliette.*'

LA NOURRICE.

Voyez-la, comme elle revient de confesse avec un air content.

CAPULET.

Alors, la tête dure ! Où êtes-vous allée vous promener ?

JULIETTE.

Là où j'appris à me repentir de mon péché
De désobéissance envers vous et vos ordres ;
Il me fut commandé
Par le saint Frère Laurent de me prosterner à vos pieds
Pour demander votre pardon :
Ainsi, je vous en prie, pardon.
Dorénavant je me laisserai toujours conduire par vous.

CAPULET.

Envoyez chercher le comte ; allez, racontez-lui ça.
Et je veux que le nœud nuptial soit noué dès demain matin.

JULIETTE.

J'ai rencontré le jeune seigneur
Dans la cellule de Laurent

And gave him what becoméd love I might,
Not stepping o'er the bounds of modesty.
    CAPULET.
Why, I am glad on't; this is well.   Stand up.
This is as 't should be.   Let me see, the County:
Ay, marry, go, I say, and fetch him hither.
30 Now, afore God, this reverend holy friar,
All our whole city is much bound to him.
    JULIET.
Nurse, will you go with me into my closet
To help me sort such needful ornaments
As you think fit to furnish me tomorrow?
    LADY CAPULET.
No, not till Thursday; there is time enough.
    CAPULET.
Go, nurse, go with her; we'll to church tomorrow.

> [*Nurse departs with Juliet.*

    LADY CAPULET.
We shall be short in our provision;
'Tis now near night.
    CAPULET.
              Tush, I will stir about,
And all things shall be well, I warrant thee, wife.
40 Go thou to Juliet; help to deck up her.
I'll not to bed tonight.   Let me alone;
I'll play the housewife for this once.   What, ho!
They are all forth; well, I will walk myself
To County Paris, to prepare up him
Against tomorrow. My heart is wondrous light
Since this same wayward girl is so reclaimed.

> [*they go.*

Et je lui ai donné ce que peut accorder
Dans les bornes de modestie l'amour bienséant.
CAPULET.
Bon, bon, j'en suis ravi. C'est bien. Relève-toi.
Et maintenant c'est comme ça doit être. —
Il nous faut voir le comte. Hé morbleu, allez donc,
Allez vite, et ramenez-le moi ici ! —
Vraiment, devant Dieu, ce révérend père,
La ville entière lui doit de la reconnaissance.
JULIETTE.
Nourrice, veux-tu venir avec moi dans ma chambre
M'aider à choisir les parures convenables
Celles qu'à ton avis je dois porter demain ?
DAME CAPULET.
Non, pas avant jeudi ; nous avons bien le temps.
CAPULET.
Va, Nourrice, va avec elle. Nous irons à l'église demain.

Juliette et la Nourrice sortent.

DAME CAPULET.
Nous serons à court de provisions ! et c'est maintenant bientôt
la nuit.
CAPULET.
Tut, tut ! je vais me remuer. Tout ira bien, femme, je te le
garantis. Toi va chez Juliette, aide-la à se faire belle. Je ne
me coucherai pas cette nuit. Qu'on me laisse seul. Je m'en
vais faire la ménagère. Hé ! Ho ! ils sont tous partis. Bon, je
vais aller moi-même chez le comte Paris, pour l'engager à
venir dès demain. Mon cœur est merveilleusement léger,
depuis que cette petite fille capricieuse est regagnée.

Ils sortent.

[IV, 3.]   Juliet's chamber; at the back a bed with curtains
'*Enter* J U L I E T *and* N U R S E '.

J U L I E T
Ay, those attires are best.   But, gentle nurse,
I pray thee leave me to myself tonight:
For I have need of many orisons
To move the heavens to smile upon my state,
Which well thou knowest is cross and full of sin.

Enter Lady Capulet.

L A D Y   C A P U L E T .
What, are you busy, ho ?   Need you my help ?
J U L I E T .
No, madam, we have culled such necessaries
As are behoveful for our state tomorrow.
So please you, let me now be left alone,
10 And let the nurse this night sit up with you,
For I am sure you have your hands full all
In this so sudden business.
L A D Y   C A P U L E T .
                              Good night.
Get thee to bed and rest, for thou hast need.

[*she departs with the Nurse.*

J U L I E T .
Farewell !   God knows when we shall meet again.
I have a faint cold fear thrills through my veins
That almost freezes up the heat of life.
I'll call them back again to comfort me.
Nurse !—What should she do here ?
My dismal scene I needs must act alone.
20 Come, vial !

[IV, 3.]   La chambre de Juliette

'*Entrent* JULIETTE *et* LA NOURRICE.'

JULIETTE.

Oui ces parures sont les plus jolies;
Mais gentille Nourrice,
Je t'en prie laisse-moi cette nuit seule avec moi-même
Car j'ai besoin de dire beaucoup d'oraisons
Pour implorer le Ciel
Afin qu'il sourie à ma situation
Qui est, tu le sais, trouble et pleine de péché.

Entre Dame Capulet.

DAME CAPULET.

Hé vous êtes occupée, dites-moi? Avez-vous besoin de mon
aide?

JULIETTE.

Non Madame, nous avons choisi tout le nécessaire
Ce qui convient pour la cérémonie demain.
Ainsi je vous en prie que l'on me laisse seule
Et que Nourrice passe la nuit auprès de vous,
Car j'en suis sûre vous avez beaucoup trop d'ouvrage
En cette soudaine affaire.

DAME CAPULET.

         Oui bonne nuit.
Allez au lit, et reposez, vous en avez bien besoin.

Sortent Dame Capulet et la Nourrice.

JULIETTE.

Adieu! — Dieu sait quand nous nous reverrons.
J'ai une frayeur froide
Et vague, qui circule dans mes veines
Et glace presque la chaleur de vie.
Je vais les rappeler pour me rendre courage.
Nourrice! — Ah pourquoi faire?
Ma scène horrible il faut la jouer seule. —
Viens, fiole. —

What if this mixture do not work at all?
Shall I be married then tomorrow morning?
No, no! This shall forbid it. Lie thou there.

[laying down her knife.

What if it be a poison which the friar
Subtly hath minist'red to have me dead,
Lest in this marriage he should be dishonoured
Because he married me before to Romeo?
I fear it is; and yet methinks it should not,
For he hath still been tried a holy man.
30 How if, when I am laid into the tomb,
I wake before the time that Romeo
Come to redeem me? There's a fearful point!
Shall I not then be stifled in the vault,
To whose foul mouth no healthsome air breathes in,
And there die strangled ere my Romeo comes?
Or, if I live, is it not very like
The horrible conceit of death and night,
Together with the terror of the place—
As in a vault, an ancient receptacle
40 Where for this many hundred years the bones
Of all my buried ancestors are packed;
Where bloody Tybalt, yet but green in earth,
Lies festering in his shroud; where, as they say
At some hours in the night spirits resort—
Alack, alack, is it not like that I,
So early waking—what with loathsome smells,
And shrieks like mandrakes' torn out of the earth,
That living mortals, hearing them, run mad—
O, if I wake, shall I not be distraught,
50 Environéd with all these hideous fears,
And madly play with my forefathers' joints,
And pluck the mangled Tybalt from his shroud,
And, in this rage, with some great kinsman's bone,
As with a club, dash out my desp'rate brains?
O, look! Methinks I see my cousin's ghost
Seeking out Romeo, that did spit his body

Et si la drogue ne produisait rien ?
Serais-je alors mariée demain matin ?
Non, non, — voilà qui l'empêcher. , — toi reste là.

Elle pose près d'elle un poignard.

Et si c'était un poison, que le frère
M'aurait donné par tromperie pour m'avoir morte
Craignant par ce mariage être déshonoré
Parce qu'il m'a mariée avant à Roméo ?
Je le crains ; et pourtant ça ne peut pas être, il me semble,
Il a toujours été connu comme un saint homme.
Et si quand je serai couchée dans le tombeau
Je m'éveillais avant le temps où Roméo
Viendra me délivrer ? C'est une horrible idée.
Ne vais-je pas être étouffée dedans la tombe
Dont la hideuse bouche ne respire jamais d'air sain
Et là mourir suffoquée
Avant que vienne mon Roméo ?
Ou si je vis n'est-il pas bien possible
Que l'horrible pensée de la mort et de la nuit
Tout ensemble, avec l'épouvante du lieu --
Un caveau, un réceptacle où depuis des centaines d'années
Les os des ancêtres ensevelis sont entassés
Où Tybalt ensanglanté encore tout frais à la terre
Se tient pourrissant dans son suaire ; où, à ce que l'on dit,
A certaines heures de la nuit reviennent les esprits ! —
Hélas hélas, n'est-il pas possible que moi
Réveillée trop tôt — dans ces odeurs infectes,
Et ces cris comme ceux de la mandragore arrachée de terre
Qui font que les vivants, les entendant, deviennent fous ! —
Oh, si je me réveille, je perde la raison,
Environnée par toutes ces hideuses frayeurs ?
Et follement je jouerai avec les ossements des ancêtres ?
J'arracherai le Tybalt mutilé de son linceul ?
Et dans ma rage, avec les os de quelque ancien parent
Servant de massue, je fracasserai
Ma cervelle désespérée ? Oh regardez :
Il me semble que je vois l'ombre de mon cousin
Poursuivant partout Roméo
Qui a embroché son corps sur la pointe d'une épée ! —

IV, 3. 57

Upon a rapier's point. Stay, Tybalt, stay!
Romeo, I come! this do I drink to thee.

[*she drinks, and falls insensible upon her bed within the curtains.*

[IV, 4.]   Hall in Capulet's house

 Enter LADY CAPULET *and* 'NURSE, *with herbs*'.

LADY CAPULET.
Hold, take these keys and fetch more spices, nurse.
 NURSE.
They call for dates and quinces in the pastry.

         'Enter old Capulet'.

CAPULET.
Come, stir, stir, stir! The second cock hath crowed:
The curfew bell hath rung, 'tis three o'clock.
Look to the baked meats, good Angelica;
Spare not for cost.
 NURSE.
     Go, you cot-quean, go,
Get you to bed. Faith, you'll be sick tomorrow
For this night's watching.
 CAPULET.
No, not a whit. What, I have watched ere now
10 All night for lesser cause, and ne'er been sick.
 LADY CAPULET.
Ay, you have been a mouse-hunt in your time,
But I will watch you from such watching now.

       [*she hurries out with Nurse.*

CAPULET.
A jealous hood, a jealous hood!
 'Enter three or four with spits and logs and baskets'.
      Now, fellow, what is there?
FIRST SERVINGMAN.
Things for the cook, sir; but I know not what.

Arrête, Tybalt, arrête! —
Roméo, je viens! C'est à toi que je bois, Roméo!

Elle tombe sur le lit entre les rideaux.

[IV, 4.]   Une salle dans la maison de Capulet

Entrent DAME CAPULET *et* LA NOURRICE.

DAME CAPULET.
Tiens, Nourrice, prends ces clés, va me chercher encore des épices.

LA NOURRICE.
Ils demandent des dattes et des coings, à la pâtisserie.

'*Entre le vieux Capulet*'.

CAPULET.
Allons, remuez-vous, activez, activez! Le second coq a chanté, le couvre-feu a été sonné, il est trois heures. Surveille les pâtés dans le four, ma bonne Angélique; et fais les choses largement!

LA NOURRICE.
Allez, allez, vous, chauffe-lit, allez-vous-en dormir; ma foi, vous serez malade demain pour avoir veillé la nuit.

CAPULET.
Pas un brin! Hé j'ai veillé autrefois bien des nuits pour moins que ça, et je n'ai jamais été malade.

DAME CAPULET.
Oui vous avez chassé la souris en votre temps,
Mais aujourd'hui
Je veille à vous préserver de ces veilles, mon ami.

Dame Capulet et la Nourrice sortent.

CAPULET.
Un bonnet jaloux! un bonnet jaloux!
'*Entrent trois ou quatre serviteurs portant des broches, des
bûches et des paniers.*'
Hé bien, garçon, qu'est-ce que c'est que ça?

PREMIER SERVITEUR.
Des choses pour le cuisinier, M'sieur, mais je ne sais pas quoi.

IV, 4. 15

CAPULET.
Make haste, make haste.

[1 *servingman goes.*

Sirrah, fetch drier logs.
Call Peter; he will show thee where they are.
  SECOND SERVINGMAN.
I have a head, sir, that will find out logs
And never trouble Peter for the matter.
  CAPULET.
Mass, and well said; a merry whoreson, ha!
20 Thou shalt be loggerhead.

[2 *servingman goes.*

Good faith,'tis day.
The County will be here with music straight.
For so he said he would. [*music*] I hear him near.
Nurse! Wife! What, ho! What, nurse, I say!
'*Enter Nurse*'.

Go waken Juliet; go and trim her up.
I'll go and chat with Paris.   Hie, make haste,
Make haste!   The bridegroom he is come already:
Make haste, I say.

[*they go.*

[IV, 5.]   Juliet's chamber; the curtains closed about the bed

Enter NURSE.

  NURSE.
Mistress! what, mistress! Juliet, Fast, I warrant her, she.
Why, lamb! why, lady! Fie, you slug-abed!
Why, love, I say! madam! sweetheart! why, bride!
What, not a word? You take your pennyworths now!

CAPULET.
Dépêche-toi, dépêche-toi.

Le premier serviteur sort.

Toi, faquin, apporte-moi des bûches plus sèches! Appelle
Peter, il te dira où ça se trouve.
DEUXIÈME SERVITEUR.
J'ai une tête, M'sieur, à savoir trouver les bûches, et j'irai
pas déranger Peter pour cette affaire.

Le deuxième serviteur sort.

CAPULET.
Par la Sainte Messe, tu dis bien,
Un joyeux fils de pute, ha!
Tu seras une tête de bûche! — Ah Foi de Dieu c'est le jour.
Le comte va être ici avec la musique
Dans un instant, comme il l'a dit.

Musique.

Le voilà, je l'entends. Nourrice! Femme! Quoi, ho!
Quoi, Nourrice, je vous dis!

'*Rentre la Nourrice.*'

Va réveiller Juliette, va et habille-la.
Moi je m'en vais faire causette avec Paris.
Ouste! Dépêche-toi. Fais vite, le mari est là.
Fais vite, je te dis!

Ils sortent.

[IV, 5.]   La chambre de Juliette

Entre LA NOURRICE.

LA NOURRICE.
Maîtresse! maîtresse! Juliette! Ah je vous assure bien qu'elle
    est endormie.
Allons, l'agneau? Madame? Fi, celle qui traîne au lit!
Allons, m'amour, Madame, je vous dis! Doux cœur! Hé
    la mariée!
Quoi, pas un mot? Vous en prenez maintenant votre compte.

IV, 5. 5

Sleep for a week; for the next night, I warrant,
The County Paris hath set up his rest
That you shall rest but little. God forgive me!
Marry, and amen! How sound is she asleep!
I needs must wake her. Madam, madam, madam!
10 Ay, let the County take you in your bed,
He'll fright you up, i'faith! Will it not be?
> [*draws back the curtains.*

What, dressed, and in your clothes, and down again?
I must needs wake you. Lady, lady, lady!
> [*shakes her.*

Alas, alas! Help, help! My lady's dead!
O weraday that ever I was born!
Some aqua-vitae, ho! My lord! my lady!

> *Enter Lady Capulet.*

LADY CAPULET.
What noise is here?
> NURSE.
> > O lamentable day!

LADY CAPULET.
What is the matter?
> NURSE.
> > Look, look! O heavy day!

LADY CAPULET.
O me, O me! My child, my only life!
20 Revive, look up, or I will die with thee!
Help, help! Call help.

> *Enter Capulet.*

CAPULET.
For shame, bring Juliet forth; her lord is come.
> NURSE.
She's dead, deceased: she's dead, alack the day!
LADY CAPULET.
Alack the day, she's dead, she's dead, she's dead!
CAPULET.
Ha, let me see her. Out, alas! She's cold,

Dormez pour une semaine : car je vous le promets, la
    prochaine nuit,
Le comte Paris a parié son repos que vous ne vous reposerez
    pas beaucoup.
Dieu me pardonne, sainte Vierge et Amen, comme elle est
    endormie!
Il faut pourtant bien que je la réveille. Madame, Madame!
Oui, et si vous laissez le comte vous prendre dans votre lit?
Il saura vous réveiller, hein, je pense? C'est-y pas vrai?

Elle écarte les rideaux.

Quoi, tout habillée! Avec votre robe! Et puis recouchée!
Il faut vraiment vous réveiller! Madame, Madame!
Hélas, hélas! Au secours, au secours! Ma dame est morte!
Oh quel malheureux jour le jour où je suis née!
Un peu d'eau-de-vie, ho! Monseigneur, Madame!

Entre Dame Capulet.

DAME CAPULET.
Quel bruit fait-on ici?
    LA NOURRICE.
               O lamentable jour!
    DAME CAPULET.
Qu'y a-t-il? Qu'y a-t-il?
    LA NOURRICE.
              Regardez : affreux jour!
    DAME CAPULET.
Oh, oh! Mon enfant, mon unique vie,
Reviens à toi, ouvre tes yeux, ou je vais mourir avec toi.
Au secours, au secours! Appelez au secours!

Entre Capulet.

CAPULET.
De grâce, amenez donc Juliette; son seigneur est là.
    LA NOURRICE.
Elle est morte, décédée, morte, jour de malheur!
    DAME CAPULET.
Jour de malheur, elle est morte, elle est morte, elle est morte!
    CAPULET.
Ho! laissez-moi la voir. C'est fini. Elle est froide.

IV, 5. 26

Her blood is settled, and her joints are stiff:
Life and these lips have long been separated;
Death lies on her like an untimely frost
Upon the sweetest flower of all the field.

NURSE.

30 O lamentable day!

LADY CAPULET.

O woeful time!

CAPULET.

Death, that hath ta'en her hence to make me wail,
Ties up my tongue and will not let me speak.

'Enter Friar and the County' with Musicians.

FRIAR.

Come, is the bride ready to go to church?

CAPULET.

Ready to go, but never to return.
O son, the night before thy wedding day
Hath Death lain with thy wife. There she lies,
Flower as she was, defloweréd by him.
Death is my son-in law, Death is my heir;
My daughter he hath wedded! I will die

40 And leave him all; life, living, all is Death's.

PARIS.

Have I thought long to see this morning's face,
And doth it give me such a sight as this?

LADY CAPULET.

Accursed, unhappy, wretched, hateful day!
Most miserable hour that e'er time saw
In lasting labour of his pilgrimage!
But one, poor one, one poor and loving child,
But one thing to rejoice and solace in,
And cruel Death hath catched it from my sight!

NURSE.

O woe! O woeful, woeful, woeful day!

50 Most lamentable day, most woeful day
That ever, ever I did yet behold!
O day, O day, O day, O hateful day!
Never was seen so black a day as this.
O woeful day, O woeful day!

Son sang s'est arrêté, ses membres sont raidis.
Ces lèvres-là et la vie sont séparées depuis longtemps.
La mort est étendue sur elle comme un gel précoce
Sur la plus douce fleur de tout le champ.
> LA NOURRICE.

O lamentable jour!
> DAME CAPULET.

                O temps de désespoir!
> CAPULET.

La mort qui me l'a prise pour me faire gémir
Lie ma langue et ne me laisse plus parler.

      'Entrent Frère Laurent et Paris', avec des musiciens.

> FRÈRE LAURENT.

La fiancée est-elle prête afin de se rendre à l'église?
> CAPULET.

Oui prête à y aller, pour n'en plus revenir.
O mon fils, la nuit avant ton jour de noces,
La mort coucha avec ta femme : vois, elle est là
Fleur qu'elle était, et déflorée par elle.
Oui la mort est mon gendre, la mort mon héritier
Car elle a épousé ma fille! Je veux mourir,
Je veux tout lui léguer : vie, biens, tout à la mort.
> PARIS.

Ai-je si longtemps voulu voir la face de ce matin
Pour qu'il m'apporte un tel spectacle?
> DAME CAPULET.

Maudit, infortuné, malheureux, odieux jour!
L'heure la plus misérable que le temps ait vu
Dans le long labeur de son pèlerinage!
Une seule, une pauvre, une seule et douce enfant,
Une seule chose pour me réjouir et me consoler,
Et la cruelle mort l'arrachant à ma vue!
> LA NOURRICE.

O horreur! O horrible horrible horrible jour!
Le plus lamentable jour, le plus horrible des jours
Que j'aie jamais jamais jamais vu jusqu'ici!
O jour! O jour! O jour! Épouvantable jour!
Jamais je n'ai vu, jamais, un jour aussi noir que toi!
O horrible jour! Horrible horrible jour!

IV, 5. 55

PARIS.
Beguiled, divorcéd, wrongéd, spited, slain!
Most detestable Death, by thee beguiled,
By cruel, cruel thee quite overthrown!
O love! O life! Not life, but love in death!
CAPULET.
Despised, distresséd, hated, martyred, killed!
60 Uncomfortable time, why cam'st thou now
To murder, murder our solemnity?
O child, O child! my soul, and not my child!
Dead art thou. Alack, my child is dead,
And with my child my joys are buriéd!
FRIAR.
Peace, ho, for shame! Confusion's cure lives not
In these confusions. Heaven and yourself
Had part in this fair maid; now heaven hath all,
And all the better is it for the maid.
Your part in her you could not keep from death,
70 But heaven keeps his part in eternal life.
The most you sought was her promotion,
For 'twas your heaven she should be advanced;
And weep ye now, seeing she is advanced
Above the clouds as high as heaven itself?
O, in this love you love your child so ill
That you run mad, seing that she is well.
She's not well married that lives married long,
But she's best married that dies married young.
Dry up your tears and stick your rosemary
80 On this fair corse, and as the custom is,
All in her best array, bear her to church:
For though fond nature bids us all lament,
Yet nature's tears are reason's merriment.
CAPULET.
All things that we ordainéd festival
Turn from their office to black funeral,
Our instruments to melancholy bells,
Our wedding cheer to a sad burial feast;
Our solemn hymns to sullen dirges change,

PARIS.
Trompé, divorcé, outragé, injurié
Et tué! Détestable mort, par toi trompé,
Par toi cruelle, cruelle, détruit à tout à jamais!
O ma vie! O amour!
Non plus la vie, mais l'amour dans la mort!

CAPULET.
Méprisé, désolé, haï, martyrisé,
Assassiné! O temps ennemi, pourquoi es-tu venu
Tuer, tuer notre solennité?
Mon enfant! Mon enfant! Mon âme, non mon enfant!
Morte es-tu. Morte. Hélas mon enfant est morte.
Et avec mon enfant mes joies sont enterrées!

FRÈRE LAURENT.
Paix, de grâce! Le remède au chaos
N'est pas dans ce chaos. Le Ciel et vous
Avaient part à cette belle jeune fille
Et maintenant le Ciel a tout.
Cela vaut certes mieux pour la jeune fille.
Vous ne pouviez garder votre part de la mort
Mais le Ciel gardera sa part dans l'éternel.
Vous recherchiez surtout son élévation
Car c'était votre ciel qu'elle fût élevée
Et vous pleurez maintenant la voyant s'élever
Par-dessus les nuages jusqu'au Ciel lui-même?
Ah dans cet amour vous aimez votre enfant
Si mal, que vous devenez fous de la voir heureuse!
Mais n'est pas bien mariée celle qui vit longtemps mariée,
Elle est bien mieux mariée celle qui meurt jeune mariée.
Séchez vos pleurs, posez du romarin
Sur ce beau corps, et comme c'est la coutume
Dans ses plus beaux atours portez-la à l'église;
Bien que la tendre nature nous commande de pleurer
Les larmes de la nature font sourire la raison.

CAPULET.
Toutes ces choses que nous destinions à la fête
Détournées de leur fin serviront aux noires funérailles.
Nos instruments deviendront cloches mélancoliques
Et le festin de noces sera repas de deuil,
Nos hymnes solennels se feront chants funèbres,

iv, 5. 89

Our bridal flowers serve for a buried corse,
90 And all things change them to the contrary.
　　FRIAR.
Sir, go you in; and, madam, go with him;
And go, Sir Paris. Everyone prepare
To follow this fair corse unto her grave,
The heavens do lour upon you for some ill;
Move them no more by crossing their high will.

['*all but the Nurse*' *and the Musicians* '*go forth, casting rosemary upon her and shutting the curtains*'.

　　1 MUSICIAN.
Faith, we may put up our pipes and be gone.
　　NURSE.
Honest good fellows, ah, put up, put up!
For well you know this is a pitiful case.
　　1 MUSICIAN.
Ay, by my troth, the case may be amended.

[*Nurse goes.
Enter Peter.*

　　PETER.
100 Musicians, O musicians, 'Heart's ease', 'Heart's ease'!
O, an you will have me live, play 'Heart's ease'.
　　1 MUSICIAN.
Why 'Heart's ease'?
　　PETER.
O musicians, because my heart itself plays 'My heart is
full of woe'.　O play me some merry dump to comfort me.
　　1 MUSICIAN.
Not a dump we! 'Tis no time to play now.
　　PETER.
You will not then?
　　1 MUSICIAN.
No.
　　PETER.
I will then give it you soundly.

Nos fleurs nuptiales couvriront le corps enseveli
Et toutes choses seront changées en leur contraire.
    FRÈRE LAURENT.
Monsieur, retirez-vous. Madame, suivez-le.
Et allez, seigneur Paris. Que chacun de vous
Se prépare à suivre ce beau corps jusqu'au tombeau.
Le Ciel s'appesantit sur vous pour quelque offense,
Ne l'irritez pas davantage en le contrariant.

*'Tous, sauf la Nourrice' et les musiciens 'sortent, après avoir
jeté du romarin sur Juliette et fermé les rideaux.'*

    PREMIER MUSICIEN.
Ma foi, nous pouvons serrer nos flûtes et filer.
    LA NOURRICE.
Mes honnêtes bons garçons, ah serrez-les, serrez-les. Parce
que comme vous voyez, c'est un bien pitoyable cas.

                                             Elle sort.

    PREMIER MUSICIEN.
Oui, c'est vrai, le cas pourrait être meilleur.

                                          Entre Peter.

    PETER.
Musiciens, oh musiciens, « Le cœur à l'aise, Le cœur à l'aise » !
Oh si vous voulez que je vive, jouez-moi « Le cœur à l'aise ».
    PREMIER MUSICIEN.
Et pourquoi « Le cœur à l'aise » ?
    PETER.
O musiciens, parce que mon propre cœur joue « Mon
cœur est dans la peine » ! Oh jouez-moi quelque joyeuse
lamentation pour me réconforter.
    PREMIER MUSICIEN.
Pas de lamentations, nous. C'est pas l'heure de jouer
maintenant.
    PETER.
Alors vous ne voulez pas ?
    PREMIER MUSICIEN.
Non.
    PETER.
Alors je vais vous en donner, et rondement.

IV, 5. 109

1 MUSICIAN.
What will you give us?
  PETER.
110 No money, on my faith, but the gleek. I will give you
the minstrel.
  1 MUSICIAN.
Then will I give you the serving-creature.
  PETER.
Then will I lay the serving-creature's dagger on your pate.
I will carry no crotchets. I'll re you, I'll fa you. Do you
note me?
  1 MUSICIAN.
An you re us and fa us, you note us.
  2 MUSICIAN.
Pray you put up your dagger, and put out your wit.
  PETER.
Then have at you with my wit! I will dry-beat you with an
iron wit, and put up my iron dagger. Answer me like men:
120   'When griping grief the heart doth wound,
           And doleful dumps the mind oppress,
           Then music with her silver sound—'
Why 'silver sound'? Why 'music with her silver sound'?
What say you, Simon Catling?
  1 MUSICIAN.
Marry, sir, because silver hath a sweet sound.
  PETER.
Pretty! What say you, Hugh Rebeck?
  2 MUSICIAN.
I say 'silver sound', because musicians sound for silver.
  PETER.
Pretty too! What say you, James Soundpost?
  3 MUSICIAN.
Faith, I know not what to say.

PREMIER MUSICIEN.

Qu'est-ce que tu vas nous donner ?

PETER.

Pas de l'argent, bien sûr, des flûtes! Je vais vous donner du musico !

PREMIER MUSICIEN.

Alors moi je vais te donner du facchino!

PETER.

Et le couteau du facchino va te donner sur le crâne! Et puis tu sais, moi on ne me la fait pas avec des croches pointues! Je m'en vais te *fa*, je m'en vais te *ré*, tu vas voir! Est-ce que tu notes ?

PREMIER MUSICIEN.

Si tu nous *ré* et si tu nous *fa*, c'est toi qui notes.

DEUXIÈME MUSICIEN.

Ah! je t'en prie, rengaine ton couteau et sors un peu ton esprit.

PETER.

Alors je vais vous tirer mon esprit! Je vais vous battre avec un esprit d'acier en rengainant mon couteau d'acier. Répondez-moi comme des hommes :

> *Quand le cœur est blessé par le chagrin poignant*
> *Quand la plaintive mélancolie oppresse l'esprit,*
> *Alors la Musique avec ses sons d'argent —*

pourquoi « sons d'argent »? pourquoi « la Musique avec ses sons d'argent »? Qu'est-ce que tu dis, toi, Simon Boyaudechat ?

PREMIER MUSICIEN.

Ben quoi! parce que l'argent a un son agréable.

PETER.

Ça va. Et qu'est-ce tu dis, toi, Hugues Rebec ?

DEUXIÈME MUSICIEN.

« Sons d'argent », parce que les musiciens sonnent pour de l'argent.

PETER.

Encore mieux. Et qu'est-ce tu dis, toi, Jean Boitaviolon ?

TROISIÈME MUSICIEN.

Ben, je sais pas quoi dire!

PETER.
130 O, I cry you mercy! You are the singer. I will say for you.
It is 'music with her silver sound', because musicians have
no gold for sounding.
'Then music with her silver sound
With speedy help doth lend redress.'

[*he goes.*

1 MUSICIAN.
What a pestilent knave is this same!
2 MUSICIAN.
Hang him, Jack! Come, we'll in here, tarry for the mour-
ners, and stay dinner.

[*they go also.*

[v, 1.]   Mantua. A street with shops

'*Enter* ROMEO'.

ROMEO.
If I may trust the flattering truth of sleep,
My dreams presage some joyful news at hand.
My bosom's lord sits lightly in his throne,
And all this day an unaccustomed spirit
Lifts me above the ground with cheerful thoughts.
I dreamt my lady came and found me dead—
Strange dream that gives a dead man leave to think!—
And breathed such life with kisses in my lips
That I revived and was an emperor.
10 Ah me! how sweet is love itself possessed,
When but love's shadows are so rich in joy!
                    Enter Balthasar, Romeo's man, booted.
News from Verona! How now, Balthasar?

PETER.

Ah je vous demande pardon, c'est vous le chanteur. Je le dirai pour vous. C'est « la Musique avec ses sons d'argent » parce que les musiciens n'ont jamais d'or pour leur musique.

> *Quand la plaintive mélancolie oppresse l'esprit,*
> *Alors la Musique avec ses sons d'argent*
> *Se hâte d'apporter secours et nous guérit.*

Il sort.

PREMIER MUSICIEN.

En voilà encore un salaud!

DEUXIÈME MUSICIEN.

Qu'il aille se faire foutre! Tiens, viens par là; on attendra l'enterrement, et on restera dîner.

Ils sortent.

[v, 1.]   Mantoue. Une rue

'*Entre* ROMÉO.'

ROMÉO.

Si j'en crois la vision flatteuse du sommeil
Mes rêves présagent pour bientôt d'heureuses nouvelles.
Le roi de ma poitrine est joyeux sur son trône
Et depuis ce matin
Un esprit inconnu me soulève du sol par des pensées riantes.
J'ai rêvé que ma dame arrivait et me trouvait mort —
Étrange rêve
Qui donnait à un mort le pouvoir de penser —
Et alors elle m'insufflait tant de vie avec ses baisers
Que je revivais et devenais empereur.
Dieu! combien doux doit être l'amour possédé
Si la seule ombre de l'amour est aussi joyeuse!

Entre Balthazar, en bottes.

Des nouvelles de Vérone! Eh bien quoi, Balthazar?

Dost thou not bring me letters from the friar?
How doth my lady? Is my father well?
How fares my Juliet? That I ask again,
For nothing can be ill if she be well.
    BALTHASAR.
Then she is well, and nothing can be ill.
Her body sleeps in Capel's monument,
And her immortal part with angels lives.
20 I saw her laid low in her kindred's vault,
And presently took post to tell it you.
O pardon me for bringing these ill news,
Since you did leave it for my office, sir.
    ROMEO.
Is it e'en so? Then I defy you, stars!
Thou know'st my lodging. Get me ink and paper,
And hire post-horses; I will hence tonight.
    BALTHASAR.
I do beseech you, sir, have patience.
Your looks are pale and wild and do import
Some misadventure.
    ROMEO.
                Tush, thou art deceived.
30 Leave me, and do the thing I bid thee do.
Hast thou no letters to me from the friar?
    BALTHASAR.
No, my good lord.
    ROMEO.
            No matter. Get thee gone,
And hire those horses; I'll be with thee straight.
                     [Balthasar goes.
Well, Juliet, I will lie with thee tonight.
Let's see for means. O mischief, thou art swift
To enter in the thoughts of desperate men!
I do remember an apothecary,
And hereabouts 'a dwells, which late I noted
In tatt'red weeds, with overwhelming brows,
40 Culling of simples. Meagre were his looks;

Tu ne m'apportes pas une lettre du frère ?
Comment va ma dame ? Et mon père, est-il bien ?
Comment se porte ma Juliette ? je le demande encore
Car rien ne peut aller mal si elle est bien.
    BALTHAZAR.
Elle est bien, et ainsi rien ne peut aller mal.
Son corps est endormi dans le tombeau des Capulet,
Son essence immortelle vit parmi les anges.
Je l'ai vue déposée dans la tombe familiale
Et aussitôt j'ai pris la route pour vous le dire :
Oh pardonnez si j'apporte ces tristes nouvelles
Puisque, seigneur, vous m'en avez chargé.
    ROMÉO.
C'est ainsi ? Alors je vous défie, étoiles !
Tu sais où j'habite ; va me chercher
De l'encre et du papier. Loue des chevaux de poste.
Je pars cette nuit.
    BALTHAZAR.
Seigneur, je vous en supplie, ayez patience.
Vos yeux sont pâles et violents
Et présagent le malheur.
    ROMÉO.
                Tut ! Tu te trompes.
Laisse-moi, fais ce que je t'ai prié de faire.
Et n'as-tu pas des lettres du frère pour moi ?
    BALTHAZAR.
Mais non, mon bon seigneur.
    ROMÉO.
                Peu importe. Va-t'en.
Et loue-moi ces chevaux. Je te rejoins.

                      Balthazar sort.

Juliette, près de toi je serai couché cette nuit.
Cherchons le moyen. — O méfait tu es prompt
A pénétrer dans les pensées du désespéré !
Je me souviens d'un apothicaire
Et c'est près d'ici qu'il demeure,
Je l'ai remarqué il n'y a pas longtemps
Dans ses haillons avec ses sourcils en broussaille,
Choisissant des simples ; sa figure est maigre,

Sharp misery had worn him to the bones:
And in his needy shop a tortoise hung,
An alligator stuffed, and other skins
Of ill-shaped fishes; and about his shelves
A beggarly account of empty boxes,
Green earthen pots, bladders, and musty seeds,
Remnants of packthread, and old cakes of roses
Were thinly scattered, to make up a show.
Noting this penury, to myself I said,
50 'An if a man did need a poison now,
Whose sale is present death in Mantua,
Here lives a caitiff wretch would sell it him'.
O, this same thought did but forerun my need,
And this same needy man must sell it me.
As I remember, this should be the house.
Being holiday, the beggar's shop is shut.
What ho, apothecary!

Enter Apothecary.

APOTHECARY.
                    Who calls so loud?
ROMEO.
Come hither, man. I see that thou art poor.
Hold, there is forty ducats; let me have
60 A dram of poison, such soon-speeding gear
As will disperse itself through all the veins
That the life-weary taker may fall dead,
And that the trunk may be discharged of breath
As violently as hasty powder fired
Doth hurry from the fatal cannon's womb.
APOTHECARY.
Such mortal drugs I have, but Mantua's law
Is death to any he that utters them.
ROMEO.
Art thou so bare and full of wretchedness
And fear'st to die? Famine is in thy cheeks,
70 Need and oppression starveth in thy eyes,
Contempt and beggary hangs upon thy back:
The world is not thy friend, nor the world's law;
The world affords no law to make thee rich:
Then be not poor, but break it and take this.

On sent que la misère l'a rongé jusqu'aux os;
Dans sa pauvre boutique une tortue pendue
Un alligator empaillé et d'autres peaux
De poissons informes, sur les rayons
Un misérable entassement de boîtes vides
Des pots de terre verts, des vessies, graines moisies
Des débris de ficelle et de vieux pains de rose
Maigrement éparpillés pour faire étalage.
Devant cette misère, en moi-même j'ai pensé
Que si un homme avait jamais besoin
De poison, dont la vente est punie de mort à Mantoue,
Là vivait un triste esclave qui pourrait bien lui en céder.
Oh cette idée courait au-devant de mon désir :
L'homme pauvre devra me vendre son poison.
Si je me souviens bien, c'est ici sa maison.
Ce jour de fête il a fermé boutique. Hé l'apothicaire!

Entre l'Apothicaire.

L'APOTHICAIRE.
Qui appelle si fort?
    ROMÉO.
Homme, viens ici. Je vois que tu es pauvre.
Prends : voilà quarante ducats, mais donne-moi
Une dose de poison, affaire si rapide
Qu'elle se disperse à l'instant dans toutes les veines,
En sorte que l'homme lassé de la vie tombe aussitôt mort
Et que son tronc soit déchargé du souffle
Aussi violemment que la poudre rapide enflammée
Se précipite hors de la matrice d'un canon!
    L'APOTHICAIRE.
J'ai ces drogues mortelles; mais la loi de Mantoue
Pour celui qui les fournit signifie la mort.
    ROMÉO.
Es-tu si nu et comblé d'infortune
Et crains-tu donc la mort? La famine a tes joues,
Le besoin, l'oppression ont faim dans tes deux yeux,
L'offense et la misère sont pendues à ton dos,
Le monde n'est pas ton ami ni la loi du monde,
Le monde ne possède pas de loi pour te faire riche,
Alors ne sois plus pauvre, mais brise, et prends ceci.

V, 1. 75

APOTHECARY.
My poverty but not my will consents.
   ROMEO.
I pay thy poverty and not thy will.
   APOTHECARY [*giving a phial*].
Put this in any liquid thing you will
And drink it off, and if you had the strength
Of twenty men it would dispatch you straight.
   ROMEO.
80 There is thy gold—worse poison to men's souls,
Doing more murder in this loathsome world,
Than these poor compounds that thou mayst not sell.
I sell thee poison; thou hast sold me none.
Farewell; buy food and get thyself in flesh.

                            [*Apothecary goes in.*

Come, cordial and not poison, go with me
To Juliet's grave, for there must I use thee.

                                [*he passes on.*

[V, 2.]   Verona. Friar Lawrence's cell

                      Enter FRIAR JOHN.

FRIAR JOHN.
Holy Franciscan friar, brother, ho!

                      Enter Friar Lawrence.

FRIAR LAWRENCE.
This same should be the voice of Friar John.
Welcome from Mantua. What says Romeo?
Or, if his mind be writ, give me his letter.
   FRIAR JOHN.
Going to find a barefoot brother out,
One of our order, to associate me,
Here in this city visiting the sick,
And finding him, the searchers of the town,
Suspecting that we both were in a house
10 Where the infectious pestilence did reign,
Sealed up the doors, and would not let us forth,
So that my speed to Mantua there was stayed.

2 42

L'APOTHICAIRE.

Ma pauvreté consent, mais non ma volonté.

ROMÉO.

Je paie ta pauvreté, et non ta volonté.

L'APOTHICAIRE.

Mettez ceci dans le liquide que vous voudrez,
Buvez tout, et auriez-vous la force
De vingt hommes, ça vous expédiera.

ROMÉO.

Voilà ton or, pire poison pour l'âme humaine
Et faisant plus de meurtre en ce monde odieux
Que ces pauvres mélanges que tu n'oses pas vendre.
Je te vends le poison, tu ne m'as rien vendu.
Adieu : achète de la nourriture et reprends chair.
Et toi, cordial et non poison, viens avec moi
A la tombe de Juliette où je me servirai de toi.

Ils sortent.

[v, 2.]   Vérone. La cellule de Frère Laurent

Entre FRÈRE JEAN.

FRÈRE JEAN.

Saint frère franciscain ; hé, mon frère !

Entre Frère Laurent.

FRÈRE LAURENT.

Ce semble bien être la voix du frère Jean. Tu viens de
Mantoue, sois le bienvenu. Que dit Roméo ? Ou s'il a écrit,
donne-moi sa lettre.

FRÈRE JEAN.

J'étais allé chercher un frère déchaussé, un de notre Ordre,
qui dans la cité visitait les malades, pour m'accompagner ;
mais les inspecteurs [29], nous suspectant de venir d'une maison
où règne la peste infectieuse, ont fermé les portes et nous ont
empêchés de sortir. Ainsi ma hâte d'aller vers Mantoue s'est
trouvée arrêtée.

ROMEO AND JULIET

V, 2. 13

FRIAR LAWRENCE.
Who bare my letter then to Romeo?
      FRIAR JOHN.
I could not send it—here it is again—
Nor get a messenger to bring it thee,
So fearful were they of infection.
      FRIAR LAWRENCE.
Unhappy fortune! By my brotherhood,
The letter was not nice, but full of charge,
Of dear import; and the neglecting it
20 May do much danger. Friar John, go hence,
Get me an iron crow and bring it straight
Unto my cell.
      FRIAR JOHN.
Brother, I'll go and bring it thee.

                                              [goes.

      FRIAR LAWRENCE.
Now must I to the monument alone.
Within this three hours will fair Juliet wake.
She will beshrew me much that Romeo
Hath had no notice of these accidents;
But I will write again to Mantua,
And keep her at my cell till Romeo come.
30 Poor living corse, closed in a dead man's tomb!

                                              [he goes.

[v, 3.]   Verona. A churchyard; in it the monument of the
                          Capulets

'*Enter* PARIS *and his* PAGE', *bearing flowers, and a torch.*

      PARIS.
Give me thy torch, boy. Hence, and stand aloof.
Yet put it out, for I would not be seen.

244

FRÈRE LAURENT.
Alors qui a porté ma lettre à Roméo?
FRÈRE JEAN.
Je n'ai pas pu l'envoyer — je l'ai encore sur moi — ni trouver
un messager qui veuille vous la rapporter, tant ils avaient
peur de l'infection.
FRÈRE LAURENT.
Malheureuse fortune! Par mon saint Ordre,
La lettre n'était pas insignifiante, mais pleine de choses
Graves, de la plus haute importance,
Et qu'elle n'ait pas été transmise peut amener bien des
    malheurs!
Frère Jean, va, trouve-moi un levier de fer
Que tu m'apporteras dans ma cellule.
FRÈRE JEAN.
Je vais vous l'apporter, mon frère.

Il sort.

FRÈRE LAURENT.
Maintenant il faut que seul j'aille au tombeau.
Dans trois heures s'éveillera la belle Juliette:
Elle me maudira en apprenant que Roméo
N'a pas eu connaissance de ces accidents.
Mais j'écrirai de nouveau à Mantoue
Et jusqu'à ce qu'il soit là je la cacherai dans ma cellule
Pauvre cadavre vivant, enfermé dans la tombe du mort!

Il sort.

[v, 3.] Un cimetière. Le monument appartenant aux Capulet

'*Entrent* PARIS *et son* PAGE,' *portant des fleurs et une*
                                                          torche.

PARIS.
Donne-moi ta torche, enfant.
Va, tiens-toi à l'écart.
Éteins-la plutôt car je crains d'être vu.

245

ROMEO AND JULIET

Under yond yew-trees lay thee all along,
Holding thine ear close to the hollow ground;
So shall no foot upon the churchyard tread,
Being loose, unfirm with digging up of graves,
But thou shalt hear it. Whistle then to me
As signal that thou hear'st some thing approach.
Give me those flowers. Do as I bid thee; go.
                                    (PAGE.
10 I am almost afraid to stand alone
Here in the churchyard, yet I will adventure.

                                          [*retires.*

        PARIS.
Sweet flower, with flowers thy bridal bed I strew—
O woe, thy canopy is dust and stones!—
Which with sweet water nightly I will dew,
Or, wanting that, with tears distilled by moans.
The obsequies that I for thee will keep
Nightly shall be to strew thy grave and weep.
                              [*Page whistles.*
The boy gives warning something doth approach.
What cursed foot wanders this way tonight
20 To cross my obsequies and true love's rite?
What, with a torch? Muffle me, night, awhile.

                                          [*retires.*
'*Enter Romeo and Balthasar, with a torch, a mattock, and a
                                    crow of iron*'.

        ROMEO.
Give me that mattock and the wrenching iron.
Hold, take this letter. Early in the morning
See thou deliver it to my lord and father.
Give me the light. Upon thy life I charge thee,
Whate'er thou hear'st or seest, stand all aloof
And do not interrupt me in my course.
Why I descend into this bed of death
Is partly to behold my lady's face,

246

Et couche-toi tout du long sous ces cyprès
Collant ton oreille sur le terrain creux;
Ainsi nul pas ne foulera le sol du cimetière
Mol et incertain, excavé par les tombes,
Sans que tu l'entendes. Siffle alors vers moi.
Ce sera le signal m'avertissant que l'on approche.
Et donne-moi ces fleurs. Fais ce que j'ai dit, va.
    (LE PAGE.
Je suis presque effrayé de rester seul ici
Dans ce cimetière; mais je vais m'y risquer.

                            Il se retire.

    PARIS.
Douce fleur, j'ai jonché de fleurs ton lit nuptial,
O malheur! le dais en est poussière et pierre.
Et d'eau douce je vais l'arroser dans la nuit
Ou sinon, de pleurs distillés par les plaintes :
Les rites que je veux pour toi perpétuer
Seront fleurir la nuit ta tombe et te pleurer.
                        Le page siffle.
L'enfant m'avertit que quelqu'un s'approche.
Quels pas maudits rôdent là cette nuit
Pour troubler mon rite et vrai culte d'amour?
Quoi, avec une torche? Nuit, pendant un instant
Dérobe-moi.

Il se retire. 'Entrent Roméo et Balthazar, avec une torche, une
                                      pioche, etc...'

    ROMÉO.
Donne-moi cette pioche
Et la barre de fer.
Attends. Prends cette lettre;
Aussitôt le matin
Tu la remettras à mon seigneur et père.
Donne-moi la lumière; et sur ta vie
Quoi que tu entendes ou tu voies, reste à l'écart
Et ne m'interromps pas dans mon action.
Si je descends dans ce lit de la mort
C'est d'abord pour revoir la face de ma femme

30 But chiefly to take thence from her dead finger
A precious ring, a ring that I must use
In dear employment. Therefore hence, be gone.
But if thou, jealous, dost return to pry
In what I farther shall intend to do,
By heaven, I will tear thee joint by joint
And strew this hungry churchyard with thy limbs.
The time and my intents are savage-wild,
More fierce and more inexorable far
Than empty tigers or the roaring sea.
    (BALTHASAR.
40 I will be gone, sir, and not trouble ye.
    ROMEO.
So shalt thou show me friendship. Take thou that;
                          [gives money
Live and be prosperous; and farewell, good fellow.
    (BALTHASAR.
For all this same, I'll hide me hereabout.
His looks I fear, and his intents I doubt.

                                  [retires.

    ROMEO.
Thou detestable maw, thou womb of death,
Gorged with the dearest morsel of the earth,
Thus I enforce thy rotten jaws to open,
      .   *[begins to open the tomb.*
And in despite I'll cram thee with more food.
    (PARIS.
This is that banished haughty Montague
50 That murd'red my love's cousin—with which grief
It is supposéd the fair creature died—
And here is come to do some villainous shame
To the dead bodies :I will apprehend him.—
                            [comes forward.
Stop thy unhallowed toil, vile Montague!
Can vengeance be pursued further than death?

248

Mais surtout
Pour prendre à son doigt mort un précieux anneau
Dont je dois me servir pour un emploi très cher;
Donc va-t'en d'ici. Mais si toi jaloux, tu reviens épier
Ce que je pourrai faire ensuite,
Par le Ciel! je te briserai jointure après jointure
Et je parsèmerai ce cimetière affamé avec tes membres!
Le temps et mes intentions sont cruels, sauvages
Plus furieux et inexorables beaucoup plus
Que le tigre à jeun ou la mer rugissante.

BALTHAZAR.
Je m'en irai, Monsieur, et ne vous dérangerai pas.

ROMÉO.
C'est ainsi que tu me prouveras ton affection.
Prends ceci. Vis et sois heureux. Adieu
Bon compagnon.

(BALTHAZAR.
Tout de même, je vais me cacher par ici :
J'ai peur de son regard, je crains ce qu'il va faire.

Il se retire.

ROMÉO.
Détestable mâchoire,
Matrice de la mort,
Toi gorgée avec le plus cher morceau de la terre
Va je forcerai bien ta gueule pourrie à s'ouvrir
Et en dérision je te gaverai
De plus de nourriture encore!

Il ouvre la tombe.

(PARIS.
Mais c'est ce Montaigue arrogant et banni
Qui tua le cousin de mon amour, ce qui par chagrin
Peut-être fit mourir la belle créature!
Et il revient pour faire quelque honteuse horreur
Sur les corps ensevelis : je l'arrêterai!

Il s'avance.

Cesse ta besogne impie, affreux Montaigue!
Peut-on poursuivre la vengeance plus loin que la mort?

v, 3. 56

Condemnéd villain, I do apprehend thee.
Obey, and go with me, for thou must die.
      ROMEO.
I must indeed, and therefore came I hither.
Good gentle youth, tempt not a desp'rate man.
60 Fly hence and leave me. Think upon these gone;
Let them affright thee. I beseech thee, youth,
Put not another sin upon my head
By urging me to fury. O be gone!
By heaven, I love thee better than myself,
For I come hither armed against myself.
Stay not, be gone. Live, and hereafter say
A madman's mercy bid thee run away.
      PARIS.
I do defy thy conjuration,
And apprehend thee for a felon here.
      ROMEO.
70 Wilt thou provoke me? Then have at thee, boy!

                                    [*they fight.*

      PAGE.
O Lord, they fight! I will go call the watch.

                                    [*runs off.*

      PARIS.
O, I am slain! [*falls*] If thou be merciful,
Open the tomb, lay me with Juliet.

                                    [*dies.*

      ROMEO.
In faith, I will.   Let me peruse this face.
Mercutio's kinsman, noble County Paris!
What said my man when my betosséd soul
Did not attend him as we rode?   I think
He told me Paris should have married Juliet.
Said he not so?   Or did I dream it so?

Lâche condamné, je t'arrête. Obéis,
Viens avec moi, tu dois mourir.
    ROMÉO.
Oui je le dois; et c'est pourquoi je suis ici.
Jeune homme noble et bon
Ne tente pas l'homme désespéré!
Fuis, laisse-moi. Songe à ces en-allés
Et qu'ils te fassent peur. Jeune homme je te supplie
Ne charge pas un nouveau péché sur ma tête
En me jetant dans la furie. Oh va-t'en donc!
Par le Ciel, je t'aime bien mieux que moi-même
Puisque je suis ici armé contre moi-même.
Ne reste pas, va-t'en, survis
Dis à l'avenir
Que la pitié d'un fou te commanda de fuir!
    PARIS.
Je me moque de tes adjurations
Et comme un félon je t'arrête.
    ROMÉO.
Tu veux me provoquer? Alors à toi, enfant!

Ils se battent.

    LE PAGE.
Seigneur, ils se battent! Je vais chercher la garde.

Il sort.

    PARIS.
Oh je suis tué.
Et si tu as pitié
Ouvre la tombe et couche-moi près de Juliette.

Il meurt.

    ROMÉO.
En vérité je le ferai. Que j'examine ce visage:
Le parent de Mercutio, noble comte Paris!
Que disait donc mon serviteur
Quand mon âme soulevée ne pouvait l'entendre
Et que nous chevauchions tous deux? Il me disait
Que Paris devait épouser Juliette? Ne l'a-t-il pas dit?
Ou bien l'ai-je rêvé? Ou ne suis-je pas fou

ROMEO AND JULIET

80 Or am I mad, hearing him talk of Juliet,
   To think it was so? O give me thy hand,
   One writ with me in sour misfortune's book!
   I'll bury thee in a triumphant grave.
   A grave? O no!—a lanthorn, slaught'red youth:
   For here lies Juliet, and her beauty makes
   This vault a feasting presence full of light.
   Dead, lie thou there, by a dead man interred.
                    [lays Paris within the tomb.
   How oft when men are at the point of death
   Have they been merry, which their keepers call
90 A light'ning before death! O how may I
   Call this a light'ning? O my love, my wife!
   Death, that hath sucked the honey of thy breath,
   Hath had no power yet upon thy beauty.
   Thou art not conquered; beauty's ensign yet
   Is crimson in thy lips and in thy cheeks,
   And death's pale flag is not advancéd there.
   Tybalt, liest thou there in thy bloody sheet?
   O, what more favour can I do to thee
   Than with that hand that cut thy youth in twain
100 To sunder his that was thine enemy?
   Forgive me, cousin! Ah, dear Juliet,
   Why art thou yet so fair? Shall I believe
   That unsubstantial Death is amorous,
   And that the lean abhorréd monster keeps
   Thee here in dark to be his paramour?
   For fear of that I still will stay with thee,
   And never from this palace of dim night
   Depart again. Here, here will I remain
   With worms that are thy chambermaids. O, here
110 Will I set up my everlasting rest,
   And shake the yoke of inauspicious stars
   From this world-wearied flesh. Eyes, look your last!
   Arms, take your last embrace! and lips, O you,
   The doors of breath, seal with a righteous kiss
   A dateless bargain to engrossing Death!
   Come, bitter conduct; come, unsavoury guide!

252

L'entendant parler de Juliette
D'avoir cette idée ? Oh donne-moi ta main
Toi inscrit avec moi sur le livre d'infortune !
Je t'ensevelirai dans un glorieux tombeau ;
Un tombeau ? Mais non, ô jeune assassiné, une lanterne !
Car ici Juliette est étendue, et sa beauté
Fait de sa tombe une salle royale emplie de lumière.
Mort, repose, enseveli par un homme mort.
                    Il couche Paris dans le monument.
Combien souvent les hommes sur le point de mourir
Se sont sentis joyeux ! Ceux qui veillent sur eux
Disent : l'éclair avant la mort. Mais moi pourrais-je
Nommer cette heure éclair ? O mon amour, ma femme,
La mort a sucé le miel de ton haleine
Et n'a pas eu de prise encor sur ta beauté
Et tu n'es pas conquise. L'enseigne de beauté
Est encor cramoisie sur tes lèvres tes joues
Et le pâle drapeau de la mort n'est pas avancé.
Tybalt, gis-tu là dans ton sanglant linceul ?
Quelle plus grande faveur puis-je te donner
Que par cette même main qui trancha ta jeunesse
Rompre celui qui fut ton ennemi ?
Pardonne, mon cousin. Ah chère Juliette
Pourquoi es-tu si belle encore ? Dois-je penser
Que la mort non substantielle est amoureuse
Et que le monstre maigre abhorré te conserve
Ici pour être ton amant dans la ténèbre ?
Par crainte de cela je demeure avec toi
Et plus jamais de ce palais de la nuit obscure
Je ne repartirai ; ici je veux rester
Avec les vers qui sont tes serviteurs ; ici, ici
Je vais fixer mon repos éternel
Et secouer le joug des étoiles funestes
Pesant sur cette chair lasse du monde.
Mes yeux regardez une dernière fois !
Mes bras prenez votre dernier embrassement !
Et mes lèvres, ô vous
Portes du souffle, par un légitime baiser
Scellez un marché sans terme avec l'accapareuse mort !
Viens amer conducteur. Viens guide repoussant.

Thou desperate pilot, now at once run on
The dashing rocks thy seasick weary bark!
Here's to my love! [*drinks*] O true apothecary!
120 Thy drugs are quick.   Thus with a kiss I die.

[*dies.*

'*Enter Friar*' Lawrence '*with lanthorn, crow, and spade*'.

FRIAR.
Saint Francis be my speed! how oft tonight
Have my olf feet stumbled at graves!   Who's there?
BALTHASAR.
Here's one, a friend, and one that knows you well.
FRIAR.
Bliss be upon you!   Tell me, good my friend,
What torch is yond that vainly lends his light
To grubs and eyeless skulls?   As I discern,
It burneth in the Capels' monument.
BALTHASAR.
It doth so, holy sir; and there's my master.
One that you love.
FRIAR.
                    Who is it?
BALTHASAR.
                                    Romeo.
FRIAR.
130 How long hath he been there?
BALTHASAR.
                                    Full half an hour.
FRIAR.
Go with me to the vault.
BALTHASAR.
                            I dare not, sir.
My master knows not but I am gone hence,
And fearfully did menace me with death
If I did stay to look on his intents.

Toi désespéré pilote, jette enfin
Sur les récifs brisants ta barque épuisée malade de la mer!
Voilà pour mon amour!

Il boit.

Honnête apothicaire,
Ta drogue est rapide. En un baiser je meurs.

Il meurt.
'*Entre Frère Laurent, portant une lanterne,
une bêche et un levier.*'

FRÈRE LAURENT.
Que saint François m'assiste! Ah combien de fois
Cette nuit mes vieux pieds ont-ils heurté des tombes.
Hé, qui est là?
BALTHAZAR.
C'est un ami, c'est quelqu'un qui vous connaît bien.
FRÈRE LAURENT.
Bénédiction sur toi. Dis-moi, mon bon ami,
Quel est ce feu prêtant la vanité de sa lumière
Aux larves et aux crânes sans yeux? Si je vois bien
Il brûle dans le tombeau des Capulet.
BALTHAZAR.
Il y brûle, saint homme. Mon maître est là
Celui que vous aimez.
FRÈRE LAURENT.
Qui est là?
BALTHAZAR.
Roméo.
FRÈRE LAURENT.
Depuis combien de temps est-il là?
BALTHAZAR.
Plus d'une demi-heure.
FRÈRE LAURENT.
Viens avec moi à la tombe.
BALTHAZAR.
Je n'ose pas,
Mon maître ignore que je sois demeuré là,
Il m'a menacé terriblement de mort
Si je restais pour épier ce qu'il allait faire.

FRIAR.
Stay then; I'll go alone.   Fear comes upon me.
O, much I fear some ill unthrifty thing.
   BALTHASAR.
As I did sleep under this yew-tree here,
I dreamt my master and another fought,
And that my master slew him.
   FRIAR.

                    Romeo!

                                        [*advances.*

140 Alack, alack, what blood is this which stains
   The stony entrance of this sepulchre?
   What mean these masterless and gory swords
   To lie discoloured by this place of peace?

                              [*enters the tomb.*
   Romeo!   O, pale!   Who else?   What, Paris too?
   And steeped in blood?   Ah, what an unkind hour
   Is guilty of this lamentable chance!
   The lady stirs.

                                    [*Juliet wakes.*

   JULIET.
O comfortable friar, where is my lord?
I do remember well where I should be,
150 And there I am.   Where is my Romeo?

                                  [*voices afar off.*

   FRIAR.
I hear some noise, lady.   Come from that nest
Of death, contagion, and unnatural sleep.
A greater power than we can contradict
Hath thwarted our intents.   Come, come away.
Thy husband in thy bosom there lies dead:
And Paris too.   Come, I'll dispose of thee
Among a sisterhood of holy nuns.
Stay not to question, for the watch is coming.
Come, go, good Juliet; I dare no longer stay.

FRÈRE LAURENT.

Reste alors. J'irai seul. La peur arrive sur moi.
Oh j'appréhende une chose infortunée.

BALTHAZAR.

Comme j'étais endormi là sous ces cyprès
J'ai rêvé que mon maître et un autre se battaient
Et que mon maître tuait l'autre.

FRÈRE LAURENT.

Roméo!

Il avance.

Hélas, hélas, quel est ce sang
Qui salit l'entrée pierreuse du sépulcre ?
Que veulent dire
Ces épées ensanglantées sans maîtres
Qui sont à terre, livides, près du lieu de la paix ?

Il entre dans la tombe.

Roméo! O pâle. Quel est l'autre ? Quoi, Paris aussi ?
Étendu dans le sang ? — Ah quelle heure monstrueuse
Est coupable de cette lamentable infortune ? —
La dame se réveille.

Juliette s'éveille.

JULIETTE.

O secourable frère! où est mon seigneur ?
Je me rappelle bien le lieu où je dois être,
Et c'est là que je suis. Où est mon Roméo ?

Bruit au dehors.

FRÈRE LAURENT.

J'entends du bruit. — Chère dame, sors de ce creux
De mort, de contagion et de sommeil contre nature :
Une force trop grande que nous n'avons pu détourner
A renversé nos intentions. Viens, sortons, viens.
Ton mari est étendu là mort près de ton cœur
Paris aussi; viens, je te placerai
Dans une communauté de saintes sœurs.
Ne perds pas de temps en questions, la garde arrive,
Viens, va, bonne Juliette; je ne puis plus rester.

JULIET.
160 Go, get thee hence, for I will not away.

[he goes.

What's here?   A cup, closed in my true love's hand?
Poison, I see, hath been his timeless end,
O churl! drunk all, and left no friendly drop
To help me after?   I will kiss thy lips.
Haply some poison yet doth hang on them
To make me die with a restorative.

[kisses him.

Thy lips are warm!

The Page of Paris enters the graveyard with Watch.

1 WATCHMAN.
Lead, boy.   Which way?
JULIET.
Yea, noise?   Then I'll be brief.   O happy dagger,

[snatching Romeo's dagger.

170 This is thy sheath *[stabs herself]*; there rest, and let me die.

[falls on Romeo's body and dies.

PAGE.
This is the place, there where the torch doth burn.
1 WATCHMAN.
The ground is bloody.   Search about the churchyard.
Go, some of you; whoe'er you find attach.

[some of the Watchmen depart.

Pitiful sight!   Here lies the County slain:
And Juliet bleeding, warm and newly dead,
Who here hath lain this two days buriéd.
Go tell the Prince; run to the Capulets;
Raise up the Montagues; some others search.

[other Watchmen depart.

We see the ground whereon these woes do lie,
180 But the true ground of all these piteous woes
We cannot without circumstance descry.

Re-enter some of the Watch, with Balthasar.

JULIETTE.
Va, va-t'en donc, car moi je ne m'en irai pas.

Le Frère Laurent sort.

Qu'est-ce là ? Une coupe
Est serrée dans la main de mon cher amour.
Le poison fut, je vois, sa fin prématurée.
Avare! tu as tout bu
Et tu n'as pas laissé même une goutte amie
Pour me venir en aide après ?
Je veux baiser tes lèvres; un peu de poison
Peut-être y est-il encore suspendu
Qui me ranimerait en me faisant mourir.

Elle l'embrasse.

Tes lèvres sont chaudes!

Entrent des hommes du guet avec le page de Paris.

PREMIER HOMME DU GUET.
Allons, conduis-nous, l'enfant; de quel côté ?

JULIETTE.
Ah, le bruit ?
Alors il faut faire vite.
Toi poignard chéri!

Elle saisit le poignard de Roméo.

C'est ici ton fourreau,
Repose, laisse-moi mourir.

Elle tombe sur le corps de Roméo.

LE PAGE.
C'est la place; là où la torche brûle.

PREMIER HOMME DU GUET.
On voit du sang sur le terrain; fouillez le cimetière,
Allez-y à plusieurs, arrêtez qui vous trouverez.
O pitoyable vue! Le comte assassiné.
Juliette ensanglantée, chaude et à peine morte, celle qui fut
ensevelie il y a deux jours!
Prévenez le Prince. Courez chez Capulet. Réveillez les
Montaigue. Et que les autres cherchent!
Nous voyons le terrain où gisent ces malheurs; mais le vrai
terrain de ces tristes malheurs
Nous ne pouvons l'apercevoir sans connaître tous les détails.

Quelques gardes rentrent avec Balthazar.

v, 3. 182

2 WATCHMAN.
Here's Romeo's man; we found him in the churchyard.
1 WATCHMAN.
Hold him in safety till the Prince come hither.

Re-enter another Watchman, with Friar Lawrence.

3 WATCHMAN.
Here is a friar that trembles, sighs, and weeps.
We took this mattock and this spade from him
As he was coming from this churchyard's side.
1 WATCHMAN.
A great suspicion! Stay the friar too.

'Enter the Prince' and attendants.

PRINCE.
What misadventure is so early up,
That calls our person from our morning rest?

Enter Capulet and his wife.

CAPULET.
190 What should it be that is so shrieked abroad?
LADY CAPULET.
O, the people in the street cry 'Romeo',
Some 'Juliet', and some 'Paris', and all run
With open outcry toward our monument.
PRINCE.
What fear is this which startles in our ears?
1 WATCHMAN.
Sovereign, here lies the County Paris slain;
And Romeo dead; and Juliet, dead before,
Warm and new killed.
PRINCE.
Search, seek, and know how this foul murder comes.
1 WATCHMAN.
Here is a friar, and slaughtered Romeo's man,
200 With instruments upon them fit to open
These dead men's tombs.

DEUXIÈME HOMME DU GUET.
Voici l'homme de Roméo ; nous l'avons trouvé dans le cimetière.

PREMIER HOMME DU GUET.
Surveillez-le jusqu'à l'arrivée du Prince.

Entrent Frère Laurent et un autre garde.

TROISIÈME HOMME DU GUET.
Voilà un frère, qui tremble, qui soupire et qui pleure. Nous lui avons pris des mains une pioche et une bêche. Il venait de cette partie-ci du cimetière.

PREMIER HOMME DU GUET.
Grave présomption. Arrêtez aussi le frère.

'Entrent le Prince' et sa suite.

LE PRINCE.
Quel malheur s'est donc levé si tôt
Qu'il enlève notre personne à son matinal repos ?

Entrent Capulet, Dame Capulet et d'autres.

CAPULET.
Qu'est-il donc arrivé, qu'on crie ainsi partout ?

DAME CAPULET.
Le peuple dans les rues crie Roméo,
Certains crient Juliette, d'autres crient Paris
Et tous accourent
Avec de grandes clameurs vers notre monument.

LE PRINCE.
Quelle est cette épouvante qui frappe nos oreilles ?

PREMIER HOMME DU GUET.
Souverain, voilà le comte Paris assassiné.
Roméo mort. Et Juliette auparavant morte
Chaude et nouvellement tuée.

LE PRINCE.
Cherchez,
Découvrez-nous comment s'est fait cet affreux meurtre.

PREMIER HOMME DU GUET.
Voilà un frère, voici l'homme de Roméo
Avec des instruments pour ouvrir la tombe
De ces morts.

CAPULET.
O heaven! O wife, look how our daughter bleeds!
This dagger hath mista'en, for lo, his house
Is empty on the back of Montague,
And it mis-sheathéd in my daughter's bosom.
    LADY CAPULET.
O me! this sight of death is as a bell
That warns my old age to a sepulchre.

'Enter Montague'.

    PRINCE.
Come Montague; for thou art early up
To see thy son and heir more early down.
    MONTAGUE.
210 Alas, my liege, my wife is dead tonight;
Grief of my son's exile hath stopped her breath.
What further woe conspires against mine age?
    PRINCE.
Look and thou shalt see.
    MONTAGUE.
O thou untaught! what manners is in this,
To press before thy father to a grave?
    PRINCE.
Seal up the mouth of outrage for a while,
Till we can clear these ambiguities,
And know their spring, their head, their true descent;
And then will I be general of your woes,
220 And lead you even to death. Meantime forbear,
And let mischance be slave to patience.
Bring forth the parties of suspicion.

[*Watchmen bring forward Friar Lawrence and Balthasar.*

    FRIAR.
I am the greatest; able to do least,
Yet most suspected, as the time and place
Doth make against me, of this direful murder:
And here I stand both to impeach and purge
Myself condemnéd and myself excused.

CAPULET.

O Ciel! Ma femme, vois comme notre fille saigne!
Ce poignard s'est trompé, regarde, son fourreau
Est vide à la ceinture du Montaigue
Et il s'est rengainé dans le sein de ma fille!

DAME CAPULET.

O mon âme! Cette vision de mort est comme un glas
Qui appelle mon vieil âge à son tombeau.

> '*Entre Montaigue.*'

LE PRINCE.

Viens, Montaigue.
Tu t'es levé bien tôt
Pour voir ton fils tombé encor plus tôt.

MONTAIGUE.

Hélas, souverain, ma femme est cette nuit morte,
La peine de son fils exilé
Suspendit son souffle.
Quel malheur nouveau conspire contre mon âge?

LE PRINCE.

Regarde, et tu verras.

MONTAIGUE.

Toi sans respect! quelle manière en cela
De te jeter dans le tombeau avant ton père!

LE PRINCE.

Fermez pour un instant la bouche du désespoir
Jusqu'à ce que nous ayons éclairci ces mystères
Et connu leur source, leur sens et leur vrai cours;
Alors je serai le chef de vos douleurs
Et vous conduirai à la mort même. Abstenez-vous
En attendant, que le malheur s'enchaîne à la patience.
Faites comparaître les suspects.

FRÈRE LAURENT.

Moi le premier, et le moins capable
Et le plus suspecté de ce meurtre affreux,
Car le temps et la place parlent contre moi;
Et je suis là
Pour m'accuser et me défendre tout ensemble,
Moi-même condamné et moi-même excusé.

v, 3. 228

PRINCE.
Then say at once what thou dost know in this.
    FRIAR.
I will be brief, for my short date of breath
230 Is not so long as is a tedious tale.
    Romeo there dead was husband to that Juliet;
    And she, there dead, that Romeo's faithful wife.
    I married them; and their stol'n marriage day
    Was Tybalt's doomsday, whose untimely death
    Banished the new-made bridegroom from this city;
    For whom, and not for Tybalt, Juliet pined.
    You, to remove that siege of grief from her,
    Betrothed and would have married her perforce
    To County Paris. Then comes she to me,
240 And with wild looks bid me devise some mean
    To rid her from this second marriage,
    Or in my cell there would she kill herself.
    Then gave I her (so tutored by my art)
    A sleeping potion; which so took effect
    As I intended, for it wrought on her
    The form of death. Meantime I writ to Romeo
    That he should hither come as this dire night
    To help to take her from her borrowed grave,
    Being the time the potion's force should cease.
250 But he which bore my letter, Friar John,
    Was stayed by accident, and yesternight
    Returned my letter back. Then all alone
    At the prefixéd hour of her waking
    Came I to take her from her kindred's vault,
    Meaning to keep her closely at my cell
    Till I conveniently could send to Romeo.
    But when I came, some minute ere the time
    Of her awakening, here untimely lay
    The noble Paris and true Romeo dead.
260 She wakes; and I entreated her come forth,
    And bear this work of heaven with patience;
    But then a noise did scare me from the tomb,
    And she, too desperate, would not go with me,
    But, as it seems, did violence on herself.
    All this I know; and to the marriage

LE PRINCE.

Alors dis-nous à l'instant même ce que tu sais.

FRÈRE LAURENT.

Je serai bref car le peu de temps qui reste à mon souffle
N'est pas aussi long que ce sombre récit.
Roméo, ici mort, était le mari de cette Juliette
Et elle, ici morte, la fidèle épouse de ce Roméo.
Je les mariai; le jour de leurs noces cachées,
Ce fut le jour où mourut Tybalt, et cette mort
Fit bannir le jeune marié de notre ville;
Pour lui, non pour Tybalt, Juliette languissait.
Vous, afin de lever le siège de sa douleur,
L'ayant fiancée, voulûtes la marier de force
Au comte Paris; elle vint me trouver
Et avec des yeux fous me dit d'imaginer
Quelque moyen de la sauver de ce mariage
Sinon elle se tuerait dans ma cellule.
Alors instruit par mon art je lui donnai
Un narcotique; il produisit l'effet que j'attendais
Car sur elle il coula la forme de la mort.
Cependant j'écrivais aussi à Roméo
Pour qu'il vînt en cette horrible nuit-ci
M'aider à la retirer de sa fausse tombe
Quand l'effet du poison se serait épuisé.
Mais celui qui portait ma lettre, Frère Jean,
Par un accident se trouvait retardé
Et hier soir me rendait ma lettre. Alors tout seul
A l'heure prévue pour son réveil je suis venu
La prendre au caveau, pour la garder cachée
Jusqu'au jour où Roméo serait prévenu.
Quand j'arrivai
Un peu avant le réveil, ici gisaient
Le noble Paris, le fidèle Roméo.
Elle se réveillait; je la suppliai de s'enfuir,
De supporter avec résignation l'œuvre du Ciel;
Mais un bruit m'effraya, m'éloigna de la tombe
Et elle trop navrée pour partir avec moi
Contre elle-même il semble bien fit violence.
C'est tout ce que je sais;
Et du mariage la Nourrice était avertie.

v, 3. 266

Her nurse is privy: and if aught in this
Miscarried by my fault, let my old life
Be sacrificed, some hour before his time,
Unto the rigour of severest law.
    P R I N C E.
270 We still have known thee for a holy man.
Where's Romeo's man? What can he say to this?
    B A L T H A S A R.
I brought my master news of Juliet's death,
And then in post he came from Mantua
To this same place, to this same monument.
This letter he early bid me give his father,
And threat'ned me with death, going in the vault,
If I departed not and left him there.
    P R I N C E.
Give me the letter; I will look on it.
Where is the County's page, that raised the watch?
                 Page comes forward.
280 Sirrah, what made your master in this place?
    P A G E.
He came with flowers to strew his lady's grave,
And bid me stand aloof, and so I did.
Anon comes one with light to ope the tomb,
And by and by my master drew on him,
And then I ran away to call the watch.
    P R I N C E.
This letter doth make good the friar's words,
Their course of love, the tidings of her death;
And here he writes that he did buy a poison
Of a poor pothecary, and therewithal
290 Came to this vault to die, and lie with Juliet.
Where be these enemies? Capulet, Montague?
See what a scourge is laid upon your hate,
That heaven finds means to kill your joys with love!
And I, for winking at your discords too,
Have lost a brace of kinsmen. All are punished.
    C A P U L E T.
O brother Montague, give me thy hand.
This is my daughter's jointure, for no more
Can I demand.
    M O N T A G U E.
              But I can give thee more;
For I will raise her statue in pure gold,

Si en tout cela
Une chose avorta par ma faute, que ma vieille vie
Quelques heures avant son temps soit sacrifiée
A la sévérité de la plus dure loi.

LE PRINCE.

Nous vous avons toujours estimé comme un saint homme.
Où est le serviteur de Roméo ? Que peut-il dire ?

BALTHAZAR.

J'informai mon seigneur de la mort de Juliette.
Alors en hâte il vint de Mantoue jusqu'à cet endroit,
Ce monument. Il me recommanda
De remettre au matin cette lettre à son père
Puis entrant dans le caveau il me menaça de mort
Si je ne partais pas pour le laisser là seul.

LE PRINCE.

Donne-moi la lettre, je veux la voir. Où est le page du comte
Qui est allé quérir la garde ? Que faisait ton maître en ce lieu ?

LE PAGE.

Il vint avec des fleurs, pour joncher la tombe de sa dame.
Il m'a dit de me tenir à l'écart et je l'ai fait.
Bientôt vint un homme avec une lumière pour ouvrir la tombe
Puis mon maître tira son épée contre lui,
Et alors j'ai couru pour prévenir la garde.

LE PRINCE.

Cette lettre rend vraies les paroles du frère
La suite de leur amour, la fausse nouvelle de la mort.
Il écrit qu'il acheta le poison d'un apothicaire
Et vint au tombeau pour se coucher près de Juliette. --
Où sont ces ennemis ? — Montaigue ! — Capulet !
Voyez quel fléau tombe sur votre haine
Et comment par l'amour le Ciel tua vos joies !
Et moi pour avoir fermé les yeux sur vos désordres
J'ai perdu deux parents : tous nous sommes frappés.

CAPULET.

O frère Montaigue, donne-moi ta main :
C'est le douaire de ma fille,
Je ne demande rien de plus.

MONTAIGUE.

Je puis te donner plus :
Je vais lui élever une statue d'or pur.

300 That, whiles Verona by that name is known,
   There shall no figure at such rate be set
   As that of true and faithful Juliet.
      C A P U L E T .
   As rich shall Romeo's by his lady's lie—
   Poor sacrifices of our enmity!
      P R I N C E .
   A glooming peace this morning with it brings;
    The sun for sorrow will not show his head.
   Go hence, to have more talk of these sad things.
    Some shall be pardoned, and some punishéd;
   For never was a story of more woe
310 Than this of Juliet and her Romeo.

[they go.

ROMÉO ET JULIETTE

Tant que Vérone par son nom sera connue
Nulle image ne sera plus haut estimée
Que celle de la vraie et fidèle Juliette.
     CAPULET.
Aussi riche sera celle de Roméo
Couché près de sa dame :
Pauvres sacrifiés à notre inimitié !
     LE PRINCE.
Ce matin nous apporte la paix assombrie.
Le soleil par chagrin ne montre point sa tête.
Séparons-nous pour nous entretenir encor de ces tristesses.
Les uns sont pardonnés, d'autres seront punis
Car jamais il n'y eut plus douloureux récit
Que celui de Roméo et de Juliette.

Ils sortent.

NOTES DU TRADUCTEUR

La première version de ROMÉO ET JULIETTE (1937), conçue spécialement en vue du théâtre, donnait pour de nombreuses parties obscures du texte — plaisanteries, calembours — des approximations orientées vers l'effet burlesque scénique.

La présente version, remaniée par Pierre Jean Jouve en 1955, est plus stricte. Il demeure que la plupart de ces plaisanteries sont intraduisibles, quand leur sens même n'est pas totalement perdu.

Les indications scéniques n'ont pas été accommodées au *New Shakespeare*, mais seulement revues de manière à intégrer toutes les indications anciennes, que distinguent des guillemets simples.

1. *Quand on m'excite*. Tout ce passage, qui joue sur l'opposition de « move » (avec les sens divers d'émouvoir, s'émouvoir, remuer, inciter à) et de « stand » (avec les sens divers de se tenir immobile, brandir, se mettre en position de combat) — ne peut être rendu qu'en à peu près.

2. *Les vases les plus fragiles*. Expression biblique.

3. *Parmi ces biches sans cerf*. Il y a ici un jeu de mots intraduisible, « heartless hinds » voulant dire tout ensemble : *a)* valets sans cœur au ventre, et *b)* daims sans cerf (hart) pour les protéger.

4. *Vos épées si mal trempées*. Le mot « mistempered » joue sur le double sens de trempe, et d'humeur.

5. *Elle est aussi la dame en espoir de mes terres*. Vers discuté dont le sens exact pourrait être : soit « elle est la dame pleine des promesses de mes terres », soit « elle est la maîtresse

pleine de l'espoir de mon ici-bas », soit « elle est la dame
héritière de mes terres ».

6. « *Oui* », *j'te dis... Nourrice, je te dis.* La répétition du
« je te dis » transpose le jeu de mots « Ay » (oui) et « I » (moi)
qui ont même son, et traduit l'impatience de Juliette.

7. *Chasse-corbeau.* On avait coutume de poster des gamins
dans les champs, avec un arc et des flèches pour effrayer les
corbeaux.

8. *Je suis trop lourdement...* Il y a ici et dans les vers suivants
un double jeu de mots, d'une part sur « soar » (prendre son
essor) et « sore » (grièvement), d'autre part sur « bound » (lié)
et sur « bound » (bondir).

9. *La souris est sombre.* Les jeux de mots sur le terme
« sombre » remplacent plusieurs jeux de mots anglais entre
« done » (fini), « dun » (sombre) et « Dun » (nom d cheval).
Le premier vers est un proverbe : invisible comme la souris. Le second vers est un autre proverbe : comme cheval
embourbé.

10. *Bon pèlerin.* Certains ont pensé que Roméo était
déguisé en pèlerin, d'autant plus que telle est la significa-
tion de « romeo » en italien. Quoi qu'il en soit, il y a dans
ces vers un jeu de mots sur « palmer » (pèlerin) et « palm »
(paume), que seul notre vieux mot *paumier* pourrait rendre.

11. *Il l'embrasse.* La promptitude du mouvement correspond
en partie à l'usage : dans l'Angleterre élizabéthaine on em-
brassait une dame, quand on la rencontrait ou quand on
prenait congé d'elle.

12. *Le rôdeur Cupidon.* Le texte porte « Abraham Cupidon »,
et l'on s'est perdu en conjectures. Certains ont supposé le
texte corrompu; d'autres ont jugé plausible de donner un
nom de patriarche à un dieu aussi ancien que l'Amour; mais
nos éditeurs rappellent que l'on nommait « abrahams » des
mendiants demi-nus ou rôdeurs.

13. *Petit faucon.* Littéralement : mon niais. Terme de fauconnerie. Il s'agit du faucon niais, celui qui a été pris tout
petit au nid. Ce mot de Roméo répond à celui de Juliette qui
l'a appelé *tiercelet* (faucon mâle).

14. *A la terre.* Aux habitants de la terre (glose de Malone).

15. *Tybaut.* Le chat du Roman de Renard s'appelle Tibert.

16. *Le punto reverso! Le haï!* Mercutio ridiculise le duel

italien à la rapière, devenu fort à la mode à Londres vers 1590.

17. *Escarpin fleuri.* Il s'agit d'escarpins ornés de perforations formant un dessin de fleur. Allusion érotique peut-être.

18. *La course-à-l'oie sauvage.* C'était une course de chevaux dans laquelle chaque cheval devait suivre de près celui qui le précédait, imitant le vol d'oies sauvages. Sans doute l'image de « l'oie » recouvre-t-elle des plaisanteries assez osées.

19. *La vieille morue pourrie.* L'image d'un lièvre faisandé (qui en anglais désignait volontiers une prostituée) est ici transposée en morue : c'est naturellement une allusion désobligeante à la nourrice.

20. *Garces.* Ce mot est un à peu près pour « skains-mates », expression demeurée inexpliquée, à moins de lire « skene » (dague) dans « skain », ce qui suggérerait une catégorie particulièrement meurtrière de prostituées.

21. *Aller à l'abordage.* L'expression anglaise signifie à la fois « marquer sa place à table », ou « s'assurer une part de l'ordinaire, à l'aide de son couteau », et « aller à l'abordage ».

22. *Romarin.* Le marié portait un bouquet de romarin, emblème de sa pensée fidèle.

23. *La langue au chat.* Transposition d'un jeu de mots à partir du R, passant par « arre » (gronder, en parlant d'un chien) et tendant à quelque terme trivial qui pourrait être « arse » (cul).

24. *Noix... noisette.* Les mots « nut » et « hazel » n'ayant aucune ressemblance, le prétexte à querelle, selon le texte anglais, est plus mince encore.

25. *Un homme bien grave.* « a grave man » signifie à la fois un homme grave et un homme dans la tombe, un mort.

26. *Que les yeux du fuyard se ferment.* « That runaways' (ou runaway's) eyes may wink » est un célèbre problème shakespearien. La traduction peut choisir entre des images complètement opposées concernant soit le soleil fuyard, soit la nuit fugitive, soit des témoins errants, etc...

27. *Mon sang non dressé... Encapuchonne-le.* « Hood » (encapuchonne) et « unmanned » (non dressé, non habitué à l'homme) sont des termes de fauconnerie.

28. *Ont échangé leurs yeux.* La beauté des yeux du crapaud donnait à penser qu'il avait pris le regard de l'alouette.

29. *Les inspecteurs.* C'étaient des fonctionnaires chargés d'inspecter les cadavres et de faire un rapport sur la cause du décès.

TABLE

DERNIÈRES PARUTIONS

GF-CORPUS

GF-DOSSIER

GF Flammarion

00/03/78084-III-2000 — Impr. MAURY Eurolivres, 45300 Manchecourt.
Nº d'édition FG066911. — août 1992. — Printed in France.